# 딸이랑 엄마랑

김대선(데이지)

새롭게 무엇인가를 시작하고 싶은 50대입니다.
2년 전부터 하던 일을 그만두고
어느날 고래가 되어온 20대 딸과 함께하는 일상을
그리고, 쓰며 기록하는 중입니다.

오늘은 또 어떤 재밌는 하루를 보낼까?

## 딸이랑 엄마랑

발　행 | 2024년 08월 01일
저　자 | 김대선
펴낸이 | 한건희
펴낸곳 | 주식회사 부크크
출판사등록 | 2014.07.15.(제2014-16호)
주　소 | 서울특별시 금천구 가산디지털1로 119 SK트윈타워 A동 305호
전　화 | 1670-8316
이메일 | info@bookk.co.kr

ISBN | 979-11-410-9888-9

# 딸이랑
# 엄마랑

김대선(데이지)에세이

어느 날 밤 평화롭던 삶에 폭풍이 몰아쳤다. 할퀴고 뜯기고 정신을 차려야 하는데 그럴 수가 없었다. 겨우 정신을 차리고 보니 딸이 의식 없이 누워있었다.

우리에게 상상조차 못 했던 일이 일어나고야 말았다. 할 수 있는 것이 아무것도 없었다. 그저 하루하루 아무 일 없기를 바라며 딸을 기다리는 것이 전부였다. 그렇게 의식 없이 수술하고 3주 만에 기적이 일어났다. 딸이 우리 품으로 돌아왔다. 그리고 힘겨운 2년이 지났다.

그날부터 딸은 잃어버린 스물셋 인생 노트를 다시 채워가고 있다. 때로는 시작도 어려워 머뭇거리기도 하고, 뒤죽박죽 여러 줄 썼다가 지우고 다시 쓰기도 하면서 매일 반복하고 학습한다.

일 년의 병원 생활을 끝내고 제주 집에서 딸과의 생활이 시작되었다. 가족이라는 울타리 안에서 우리는 서로에게 치유가 되고 있다. 넓은 바다 같은 세상에 거칠 것 없이 헤엄치며 더불어 살아가길 바라던 날 딸은 나에게 고래가 되었다.

그 일상을 행복으로 사랑으로 감사함으로 그리고, 쓰는 딸이랑 엄마의 이야기를 시작하려 한다.

# CONTENT

작가의 말

# 첫 번째 해

◆ 해 오름 달 (1월)

 동네 산책 1

깊어지는 겨울, 같은 길을 걸어도 날마다 느낌이 다르다. 귤밭에 듬성듬성 남아 있는 귤들은 초록 잎과 어우러져 멀리서도 알알이 돋보인다.

"딸 귤 좀 봐! 예쁘지?"

"응, 아직도 그대로네"

"그러게. 우리 저기까지 달리기 시합할까? 이기면 소원 하나 들어주기다".

말이 끝나기 무섭게 먼저 달린 딸이 이겼다.

"엄마, 오늘은 내가 이겼어! 소원 하나 있다. 뭘 말하지. 뭘 할까?"

딸은 소원을 생각하느라 뇌세포를 자극하고 있다. 거기에 걷고 달리기는 덤이다. 이만큼도 기쁜 일이다.

오늘 운동 겸 산책은 여기까지 잘했어. 딸!

2023.01 데이지。

동네 산책 2

걷고 걷는 그 길가에 붉은 꽃이 눈길을 끈다.
동백꽃이다.
이 겨울에 이렇게 예쁜 꽃이라니
"딸! 저기 좀 봐 저 꽃은 뭘까? 알아?"
"어어, 아는데 도뱅이? 아아 동백이!"
"알고 있었어? 딸 맞아! 동백꽃이야"
아름아름 망설이다 단어를 생각해 낸다.
붉은 꽃송이가 추위에 붉어진 딸 볼에도 내려앉았다.
하얀 눈길에 마주한 붉은 동백꽃도 딸도 함께여서 더없
이 행복한 산책길이었다.

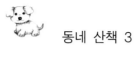 동네 산책 3

동네 산책길에 만난 누렁이가 새끼를 낳았다. 할아버지 말씀으로는 여덟 마리를 낳았다고 하신다. 그래서인지 다른 날보다 누렁이가 더 까칠하다. 근처에 가기도 전에 짖기 시작했다. 누렁이의 모성애다.
"조용히 해! 괜찮아"
할아버지가 누렁이를 달래고 딸아이를 쳐다보시며
"보고 싶어? 보여줄까?"
하신다. 딸의 대답도 듣기 전에 할아버지는 벌써 누렁이 집으로 손을 뻗으시곤 아기인 강아지 두 마리를 들어 딸 손에 놓아 주셨다. 그리곤 더 세게 짖어대는 누렁이를 몸으로 막아 주셨다.

그저 좋아 웃기만 하던 딸이 강아지를 손에 받아 들고 꼬물거리는 느낌이 간지럽고 신기했는지 나를 보며 연신 엄마, 엄마! 불러대며 손을 높이 쳐든다. 아직 눈도 뜨지 못한 아기였다. 나도 어릴 적에나 보았었던 갓난 강아지가 신기하고 놀라웠다. 딸은 손바닥에서 꼬물거리는 강아지를 들고 볼과 코가 빨갛도록 한참을 쳐다봤다.

돌아오는 길에 내일은 힘들었을 누렁이를 위해 간식을 더 준비하겠다는 딸의 말을 들으며, 매일매일 산책을 하고 싶은 이유가 생겼구나! 생각하니 저절로 입가에 미소가 번졌다.

누렁아, 고마워!

딸아! 날마다 크는 강아지를 보며 하루하루를 보내렴. 난 날마다 날마다 좋아지고 채워가는 너를 지켜볼 테니.

오늘도 이만큼 좋아졌구나! 사랑해!

동네 산책 4

제주는 육지와 다른 것이 있다. 여행 와서 잠깐 봤을 때와 이주해 와서 살다 보니 차이를 더 많이 느낀다. 따뜻하기만 할 줄 알았던 봄은 바람을 앞세워 아직 이르다는 듯이 거세게 불어 댔고, 몸을 한껏 움츠리고 있다 보면 어느새 여기저기 꽃들이 고개를 내민다. 노랗고 붉게 정신을 차릴 수 없게 봄이 온다.

그렇게 혼을 빼놓는 봄이 지나고 나면 여름 장마가 오는 것 같다. 습기에 익숙하지 않은 우리는 여름나기가 힘들게 집은 온통 끈적끈적하고 옷과 이불은 습기를 머금어 무겁다. 이주한 후 제습기와 건조기는 필수 생활 용품이 되었다.

습기가 가실 때쯤 들녘엔 자줏빛 억새가 피어오른다. 육지에선 일부러 억새를 보러 찾아다녔다면, 이곳에선 찾아 나설 것도 없이 문밖에만 나가도 보이는 게 억새다. 바람에 몸을 맡기고 나부끼는 모습이 잔잔한 물결 같다가 때론 거센 파도 같기도 하다.

억새가 하얀 보풀을 활짝 피울 때쯤이면 노란 귤과 붉은 동백이 눈에 띈다. 육지의 나무는 잎이 지고 과일만 붉게 매달려 있다가 봄이 오면 꽃이 피고, 새잎이 돋아나지만, 제주는 따뜻한 날씨 때문인지 초록이 무성한 나무에서 노란 귤이 공존한다. 겨우내 초록 잎은 봄이 오길 기다려 새잎을 만난다.

살아가다 보니 이런 다름이 불편하거나 특별하다가 익숙해진다.

여느 날처럼 귤밭과 동백꽃 길을 따라 동네를 산책한다. 여기는 바람도 많고, 억새도 많고, 송이송이 떨어지는 동백꽃도 많고, 귤도 많고 또 뭐가 많은지 딸에게 물어보니 돌이랑 밭이 많다고 한다.

"밭에는 무엇이 있을까?"

"채소가 있지!"

"채소, 어떤 채소?

딸은 더 이상 관심 없다는 듯 앞서 걸어간다. 딸을 뒤따르며 그래 어떤 채소인지가 뭐가 그리 중요하겠어! 산책하며 마주하는 것들이 지금, 이 순간 제각각 전해주는 이야기들을 듣고 느끼면 그만인 것을.

욕심낸 마음을 내려놓고 딸과 함께 마주하는 것들의 이야기에 귀 기울였던 산책이었다.

◆ 시샘 달 (2월)

## 핸드폰 게임

요즈음 우리 집은 핸드폰 게임이 한창이다. 머리를 쓰게 되니 여러모로 좋다. 밥만 먹고 나면 설거지는 뒷전이고, 누가 먼저 시작하나 내기라도 하듯 동시에 핸드폰을 들고 소파에 앉는다.
입은 게임에서 흘러나오는 리듬을 흥얼거리면서 서로 박자가 맞네, 틀리니 하면서 게임을 한다.

의식이 돌아오고 병실에서 딸과 지내며 게임이 뇌 회복에 도움이 된다고 해서 다이아몬드 게임을 하기 시작했다. 뇌 손상이 있고 얼마 지나지 않아서인지 규칙도 다 잊어버렸다. 하나하나 이해를 시키면서 게임을 해야만 했었다. 아이 같았다.

게임에 매번 이기면 화를 내니 아슬아슬하게 져줘야 했고, 날마다 이기려고 머리를 다양하게 써서 조금씩 좋아지며 회복이 시작되었다.

다음은 미니 바둑을 사서 오목을 두기 시작했다. 지금은 전처럼 딸이 이긴다. 어쩌다 한 번씩 내가 이기기도 하지만 중요한 것은 이런 시간과 노력이 반복되면서 변화를 불어왔다는 것이다. 처음을 생각한다면 기적이고 감사한 마음뿐이다.

이제는 핸드폰 게임에 몰두 중이다. 내 품을 떠나 홀로 서기 하는 과정이랄까?
먼저 딸이 시작했고, 옆에서 보던 내가 재미있어 보이니 나도 해볼까? 하다가 시작하고, 남편이 심심해하자
　"아빠도 해!"
딸의 한마디에 남편도 시작했다. 몇 분 만에 풀었다, 누가 더 빠르다 레벨이 누가 더 높다 등등 같은 게임을 하면서 서로 잘 한다고 한마디씩 하게 되고 자연스럽게 단어들이 툭툭 튀어나왔다.

두 시간이 넘게 게임을 할 때는 나와 남편은 눈이 침침해진다. 노안 때문인지 이럴 때는 나이 먹는다는 것이 참 불편하다.

어느 날 큰딸이 집에 오랜만에 왔을 때도 작은딸이 언니, 재밌어! 하면서 핸드폰에 앱을 깔아줬다. 온 식구가 소파에 나란히 앉아 몇 시간이고 핸드폰만 쳐다보며 게임을 하는 상황이 되었다.

특별 대책 마련이 필요했다.

우선 정해진 시간에만 게임을 하도록 했다. 다행히 시간이 지나면서 점점 시들해지기 시작했고, 딸은 남편과 체스를 두기 시작했다. 한가지 게임만 고집하지 않고, 이것저것 하도록 유도하는 것도 좋은 방법이다.

다음엔 어떤 게임으로 딸의 호기심을 자극해야 할까?

## 아포가토가 맛있는 집

커피는 맛보다는 향을 더 좋아한다. 어쩌다 커피 한 모금을 마시면 유난히 음 좋다. 맛있다! 고 느낄 때가 있어 그 맛이 생각나 카페를 찾아가기도 한다. 하지만 그마저도 커피를 마시면 잠을 설치기 일쑤라서 참는 편이다.

그럼에도 이 카페는 카페인에 예민한 내가 잠을 담보

잡고서라도 먹어보고 싶어 아포가토가 맛있다는 후기를 보고 찾아온 곳이다.

딸은 크림 롱 블랙.
나는 하겐다즈 아몬드 아포가토.
남편은 이번에도 역시나 아메리카노다.
각자 주문한 커피를 한 모금씩 먹어보니 여러 가지 맛을 한 번에 볼 수 있었다.
커피마다 특별한 맛과 산미가 강하지 않아서 좋았다.
특히 아포가토는 맛이 깊고 부드러웠고, 커피향이 묻은 아이스크림과 아몬드를 함께 먹으니, 풍미가 더 좋았다.
하룻밤과 맞바꿀만한 맛이었고 후회 없는 선택이었다.

커피 이름이 어려워 딸이 주문하는데 쉽진 않았지만, 틀리더라도 자신감 있게 주문하는 모습을 옆에서 남편과 흐뭇하게 바라봤다.
이제 괜찮아 좋아지고 있잖아! 커피향이 묻어나는 행복이었다.

## 기다림, 후 탱글탱글 푸딩

제주에 오면 여행객들이 푸딩이 맛있어 꼭 들린다는 우무에 갔다. 딸은 여행객들 속에 끼어 줄을 섰다. 아직 날씨가 쌀쌀해 코와 볼이 빨갛게 물들었다.

가게 안이 좁은지 한 팀씩 들어가서 주문하느라 기다리는 시간이 더 길어졌다. 드디어 우리 차례가 되었다.
한 시간가량 기다림의 끝이라 기대가 컸다.

가게 안은 생각했던 대로 좁았다. 작은 진열대 안에 푸딩이 맛별로 진열되어 있었다. 무엇을 먹어봐야 하나 생각 중이었는데 딸은 대뜸
"난 다 먹어볼래, 다 주문한다."
그럼 되겠구나! 한 시간을 기다렸는데 많지도 않은 여섯 가지 맛을 앞에 두고 무슨 맛을 먹을까? 고민했던 내가 딸의 선택에 엄지를 들어 보였다. 추운 날씨에 고생했으니 당연한 보상이다.
어설퍼도 스스로 주문하며 포장까지 꼼꼼히 챙기는 딸을 보며, 추위에 떨면서 기다렸던 한 시간을 보상받은 느낌이었다.
오랜 기다림 끝에 마주한 맛과 함께한 행복이다.

비가 내리던 날에

제주의 날씨는 봄이 겨울보다 더 추운 것 같다. 봄이
오려는지 비가 내렸다. 이런 날은 빗속에 실려 오는 비
릿함과 어느 집에서 부치는 파전의 기름 냄새가 유독
코를 찌른다. 파전 먹고 싶다고 생각할 때쯤,

"비도 오는데 뜨끈한 해장국 먹으러 갈까?"

"그럴까, 난 빨간 것 없는 것이 좋아".

딸과 남편이 점심 메뉴를 정하고 있었다. 빨간 것은 피
선지를 말하는 것 같았다. 파전 대신 해장국도 괜찮지.

서둘러 왔는데도 비가 와서인지 다른 날보다 사람들이
북적북적했다. 다른 사람들도 비가 와서 비슷한 생각이
들었나 보다. 조금 기다렸다가 얼큰한 내장탕을 한 그
릇씩 먹고, 우리 동네가 훤히 내려다보이는 카페에 가
서 차를 마셨다.

두 달 전만 해도 병원 생활하느라 외출도 자유롭지 못
했었는데, 이렇게 먹고 싶은 것 생각날 때 먹을 수 있
고, 가고 싶은 곳 맘대로 갈 수 있으니 얼마나 좋은가!
지금 이 좋은 곳에서 딸과 함께할 수 있어서 더없이 만
족스러운 봄날이었다.

# 박물관은 살아 있다

딸은 재활치료 중이다. 보고 듣고 느끼는 오감을 자극하는 것이 뇌 활성화에 도움이 된다고 한다. 생활하며 시간 날 때나 주말이면 자주 밖으로 나가는 이유다.

햇살이 좋던 날 짬을 내서 박물관에 갔다. 오감을 자극하기에 최적의 장소다.
"딸, 박물관은 살아 있다는 영화 생각나?"
"응"
"그래~, 그럼 제주 박물관도 살아 있는지 보러 갈까?"
"후후, 그럴까?"

박물관은 전시 유물들이 비슷비슷하다. 시대별로 보기 좋게 전시해 놓았지만 보고 뒤돌아서면 금방 가물가물해진다.
간혹 교과서에나 실려 있던 것을 보면 신기하다면서 아는 척을 할 뿐, 한 번 봐서는 오래 기억하기가 쉽지 않다.

각층 마다 둘러 보고 '어린이박물관'이라는 체험실에 들어가 밭담도 쌓고 물 구덕을 등에 지고 사진도 찍고 종이배에 소원을 적어 영상으로 바다에 띄워 보내기도 했다.
딸의 소원은 무엇이었을까?

여러 가지 체험을 하면서 웃고 떠들며 하루를 보냈다.
방문 기념으로 제주 어린이 도민증도 발급해 준다길래
어린이는 아니지만 우리도 발급받아 왔다.
웃는 만큼 행복해지고 보는 만큼 자극이 되고 걷는 만큼 운동이 되는 그런 날이었다.

## 훌쩍 커버린 강아지들

이상기후로 이월에 때아닌 눈이 많이 내려서 치료도 취소되고 며칠을 집에만 있어야 했다.
동네 산책길에 만난 아기 강아지가 궁금했지만 어쩔 수 없이 눈이 녹고 날씨가 따뜻해지기만을 기다렸다.

"엄마, 엄마"
딸이 이른 아침부터 다급하게 불렀다. 남편과 동시에 무슨 일이 생겼는지 놀라 딸 방으로 달려갔다.
"딸, 무슨 일이야? 어디 아파?"
"아니, 날씨 좋아서, 강아지 가자고 부른 거야"
"응, 강아지들 보러 가자고 그런 거야?"
하며 철렁했던 가슴을 쓸어내렸다. 별일이 아니어서 다행이었다.

산책하기 전에 누렁이 간식으로 오리 육포와 삶은 고구마를 챙겼다.

새끼 강아지가 먹을만한 간식이 없어서 마트에 들러서 적당한 간식을 골랐다.

보름 남짓만 해도 눈도 뜨지 못한 아가들이 어느새 커서 딸 뒤를 졸졸 따라다니며 뛰논다. 어느새 훌쩍 커버렸다. 누렁이에게 주는 오리 육포도 빼앗아 먹으려고 하자 누렁이가 으르렁거린다.

딸이 앉아서 간식 캔을 따기도 전에 손을 핥고 머리를 들이밀며 서로들 먹겠다고 다섯 마리가 나서는 통에 딸이 어쩔 줄 몰라 한다.

간식은 나눠주기도 전에 순식간에 먹어 치웠다. 첫째로 보이는 덩치가 큰 강아지가 많이 먹자, 딸은 막내를 가슴에 끌어안고 따로 간식을 챙겨준다.

"응, 많이 먹어 혼자 다 먹어, 너는 많이 먹었잖아!"
하면서 덩치 큰 강아지를 밀쳐냈다.

가지고 온 간식을 나눠주고 나서도 한참을 놀았다. 할아버지가 추운데 괜찮냐고 걱정도 해주셨다.

누렁이는 새끼를 여덟 마리나 낳았는데, 지금은 다섯 마리뿐이다. 딸이 세 마리는 어디 갔냐고 할아버지께 묻고 싶었는지 나를 쳐다보며 눈짓을 준다.

"네가 물어봐!"
"할아버지 어디 갔어요?"
"응, 세 마리는 누가 키운다고 가져갔지. 그래서 다섯

새끼강아지들짜~
2022.02 데이지。

마리 남았어. 너도 한 마리 키울래?”

대뜸 어디 갔냐고만 물어도 누군지 할아버지는 아신다.

“네 좋아요! 그런데 엄마, 해도 돼?”

“뭘 해도 돼? 키워도 되냐고 물어야지.”

“응, 키워도 돼?”

“안돼! 아파트에서 키우기에는 너무 큰 강아지야”

아쉬워하는 딸에게 미안하기도 했지만 생각지 못한 일이라 단호하게 말했다.


놀아도 놀아도 아쉬운지 골목 끝까지 쫓아오는 강아지들 때문에 몇 번을 왔다 갔다 하면서 겨우 떼어 놓고 와선 딸도 미련이 남는지 뒤를 돌아본다. 집에 오는 내내 강아지를 키우자고 졸라대는 통에 안된다는 핑계를 만드느라 힘든 하루였다.

## 우리 동네 카페 1

"딸, 우리 동네 투썸 새로 생겼는데, 가 볼까?"
"어디에?"
"다이소가 없어지고 그 자리에 생겼다는데 가자."
"으음, 귀찮은데…. 그럴까?"
"엄마가 쏜다. 빨리 준비해!"
"그래, 그러면 엄마가 가자고 하니 어쩔 수 없이 가야겠네. 엄마니까 가주는 거야"
딸은 한껏 생색을 낸다.

하루하루 변화가 많다. 음식점이 생기고 없어지고 업종이 바뀌기도 한다. 우리 동네도 그렇다. 어제 없었던 가게가 새로 생기고 있던 가게가 문을 닫기도 한다.

제주에 많은 것이 예전엔 바람, 돌, 여자라고 했다면 요즈음 많은 것은 편의점, 다이소, 카페인 것 같다. 집 근처에 작지만, 다이소가 있어 편리했다.

운동 싫어하는 딸을 설득해 새로 들어온 물건을 구경하거나 생필품을 사러 다니며 운동을 하곤 했는데, 그마저도 없어지고 카페가 생겼다. 카페가 생긴 것을 핑계로 한번 가 보자고 하면서 운동 삼아 걸어갔다. 딸이 새로 생긴 카페라 궁금했는지 순순히 따라나섰다.

투썸 플레이스 OO점

공간이 넓고 한적해서 가끔 딸과 가기 좋은 곳이다. 생필품이 아니라 케이크를 먹으러 다니면 되겠지!

우리 둘만의 아지트로 만들까? 자주 갈 수 있는 좋은 장소가 생겼다.

◆ 물오름 달 (3월)

## 봄이다

제주 곳곳에 벚꽃이 피었다.

벚꽃이 필 때면 꼭 가야 할 곳이 있다.

하늘엔 벚꽃이 몽글몽글 피어오르고 땅에는 노란 유채 꽃이 송이송이 맺혀 어우러진 녹산로 길이다.

파란 바탕 하늘을 물들인 벚꽃과 유채꽃을 보고 있으면 황홀함에 입이 절로 벌어진다.

　"와! 와! 와우! 예쁘다! 마냥 좋다!"

그야말로 감동의 물결이다.

얼마 전만 해도 이런 평범한 일상을 꿈꿨던 적이 있었 다. 지금은 그 일상에 딸과 함께여서 감동은 배가 된다. 봄 같은 딸을 보며 가슴에 한가득 벚꽃을 품어 본다.

## 봄날의 식탁

제주는 골목골목이 그림이다.
처음 제주로 이주했을 때 곳곳이 예뻤고, 내가 느낀 예쁨을 그려보고 싶다는 생각이 들 정도였다.

딸과 봄을 맞아 동네 산책길에 나섰다. 유난히 눈이 많이 내렸던 겨울이 지나고 찾아온 봄이다.
봄날의 동네는 어떤 이야기를 할지 궁금하다. 여린 잎들과 꽃들은 어떤 모습일지 기대감에 마음이 설렌다.
발걸음을 재촉하며 만난 산책길은 봄바람이 솔솔 귓가를 건드리고 길가엔 벚꽃과 유채꽃이 한 상 잘 차려진 봄날의 식탁처럼 꽃향기가 가득하다.

뭐부터 먹을까?
벚꽃 한입 유채꽃 한입 입맛 살아나는 봄날의 만찬이다.

202303 데이지.

게임에 새바람이 분다.

한동안 멈췄던 게임을 다시 하기 시작했다. 이번엔 보드게임이다. 그중에 '루미큐브'다.
난 규칙도 모르고 새로운 것을 배우기도 쉽지 않은데, 딸이 방법을 알려주겠다고 나서며 재미있다고 같이 하자고 한다. 맛보기로 같이 보드게임장에도 다녀왔다. 요즘은 이런 곳도 있구나! 난 뭘 하고 놀았었지? 어릴 적 생각이 났다.

당근마켓에서 중고로 루미큐브를 사려고 대기 중이다. 좀처럼 올라오지 않는다. 기다리다 못한 남편이 새것을 사자고 자기 용돈에서 오만 원을 주었다. 주문하고 게임기가 올 때까지 하루하루 기다림이 길었다.

드디어 루미큐브가 도착했다. 딸은 남편의 퇴근까지 서두르게 하고, 내겐 저녁을 일찍 먹자고 성화다. 저녁을 서둘러 먹고 식탁을 치웠다. 설거짓거리는 개수대에 쌓아 놓고, 엄마 빨리 앉으라고 안달이 났다.

대충 규칙을 설명해 주고 게임을 시작했다. 난 보드게임 방에서 예행연습까지 한지라 재미가 있었다. 시간 가는 줄 모르게 게임에 집중하게 되었고, 뭐였지 하면서 머리를 굴리다 보니 게임에 빠져든다.

그날부터 저녁을 먹고 나면 루미큐브 게임만 한다.

202305 메이지.

둘은 재미없고, 셋이면 좋은데 남편이 출근하니 퇴근하기만을 기다렸다 부리나케 밥을 먹고 셋이 게임을 한다.

게임을 시작하면 딸은 잔소리쟁이가 된다. 빨리 진행해라. 왜 항상 아빠는 조커가 있느냐, 엄마는 너무 느리다, 잘 섞지 않았다. 등 잔소리가 이만저만이 아니다. 지기라도 하는 날이면 이길 때까지 하다가 열한 시를 훌쩍 넘길 때도 있다.

다양하게 머리를 쓰는 게임이라 딸 뿐만 아니라 나와 남편에게도 좋고 재미가 쏠쏠하니 울며 겨자 먹기로 딸 비위를 맞추며 하게 된다. 이리저리 머리를 쓰려니 집중하게 되고 늦게까지 게임을 하니 피곤한 딸이 한 가지 제안을 했다.

"안 되겠어! 늦게 자니 피곤해! 루미큐브는 일요일에만 하자!"

"응, 그래."

대답은 했지만 될까?

먼저 하자고만 해 봐라. 게임할 때 느리다고 핀잔을 주었으니 이 핑계 저 핑계로 속 좀 태워줘야지!

루미큐브 바람은 한동안 계속되었다.

◆ 잎새 달 (4월)

# 봄 손님

봄을 알리는 전령이 제비다.

어릴 적 제비가 빨랫줄 사이로 날아오르고, 엄마가 빨아 널은 하얀 이불 홑청 사이로 지지배배 소리가 들리곤 했다.

어김없이 봄이면 우리 집 처마에도 제비가 찾아왔다. 며칠을 빈 빨랫줄에서 바라만 보다가 어느 틈엔가 입에 뭔가를 하나둘씩 물고 날아와서는 보아 둔 처마 밑에 집을 짓기 시작했다. 언제쯤 집짓기가 끝나나 지켜보면 며칠 만에 뚝딱 완성하는 기술자다.

집짓기를 끝낸 후 얼마 지나지 않아 지지배배 합창 소리가 들리고, 제비들이 분주해 보이면 어느새 알을 깨고 새끼들이 나와 샛노란 입을 커다랗게 벌린다. 먹이를 물어다 주느라고 어미 제비들은 하루에도 수십 번씩 왔다 갔다 하며 새끼들을 돌본다. 지금도 새끼들의 벌어진 노란 입을 올려다보았던 기억이 생생하다.

어미가 물어다 주는 먹이로 금방 자라서 날아가 버리면 빈집만 남는다. 그러면 엄마는 빈집을 헐어버리셨다. 왜 허물어 버리냐고 물었더니, 다른 제비가 와서 둥지를 틀까 봐 그런다고 하셨다. 지금 둥지를 틀고 새끼를 낳으면 남쪽으로 날아가는 때를 놓쳐 죽게 된다고 하셨다.
엄마는 어떻게 알았을까?

매년 찾아오던 제비가 어느 해부터 오질 않았다. 우리 동네도 환경오염이 심해져서 그런지 제비 보기가 힘들어졌다.
그렇게 한동안 제비를 잊은 채 어른이 되었다.

어느 날 아파트 청소를 하다가 12층 베란다 창문으로 날아다니는 새를 보았다. 까마귀보다는 작아 보이는데 참새는 아니고, 무슨 샐까? 하면서 자세히 보니 어릴 적 보았던 제비였다.
　"어머, 딸, 제비야 제비가 아파트에 왔어!"
　"응응"
시큰둥한 딸을 부르며 와보라고 재촉했다.
　"신기하지 않아? 아파트에서 제비를 보다니, 엄마 어렸을 때나 보았던 새인데 여기서 보니 신기하다. 흥부와 놀부에 나오는 제비라고 딸."

　"응, 알아 신기해. 그렇네!"

여전히 대답은 해도 시큰둥하다.

"제비가 아파트 옥상에 집을 지으려나 봐, 제비가 오면 좋은 일이 생긴다고 할머니가 그러셨는데, 제비가 우리 아파트에 왔으니 우리 딸에게 좋은 일이 생기려나?"

"응"

딸은 영혼 없는 대답뿐이다.

지지배배 지지배배 제비님! 딸에게도 행운의 박씨를 물어다 주세요.

삭막한 아파트 창문으로 동화 속 제비를 만나서 잠깐 어릴 적 추억을 되새겼던 날이다.

## 딸과 함께 취미를

"딸, 문화센터에서 같이 캘리그라피 좀 배워볼까?"

"싫은데!"

"엄마도 하고 싶은 것 있는데, 같이 배워보는 건 어때?"

"그래요, 엄마는 문화센터 가세요. 저는 혼자 있을게요."

며칠을 설득해도 안 된다. 딸만 두고 혼자 나가기에는 미안하고, 사고 이후 사람들과 어울려 지낸 시간이 없어 좋은 기회라 생각했는데 딸은 싫다고만 한다. 어떻게 하면 좋을까? 생각 끝에 딸이 거절하기 어려운 한 가지 제안을 했다.

"딸, 같이 가주면 회당 이만 원씩 줄게, 어때?"

"어, 이만 원? 아니 오만 원이면 생각해 볼게"

"야! 날강도야? 좋아 삼만 원 그 이상은 안 돼!"

"삼만 원? 으음 적은데 사만 원은 안 될까?"

"응, 안돼 그러면 그만둬 엄마 혼자 다니지 뭐."

"알았어, 알았어. 그럼 한 번 갈 때마다 삼만 원이다."

"어휴, 그래 삼만 원!"

고액 과외를 시켰다고 생각하기로 했다.

문화센터에 등록하고 다니다 보니 주변에서 딸과 함께 취미 생활을 하니 너무 보기 좋다고 부럽다고들 했다. 그럴 때면 '아, 네 감사합니다.'하고 웃지만 속은 그렇지 못하다. 선뜻 같이하자고 한 취미가 아니고 뒷거래가 있었기 때문이다.

뭐 어쩌라 세상살이가 다 그런 거지 뭐. 이번 주도 삼만 원을 송금하려니 속이 조금 쓰린다.

딸과 함께하는 취미 생활의 시작이 순수한 마음은 아니었지만, 수업을 듣게 되면서 붓을 들면서 자주 쓰지 않던 손가락도 쓰게 되고 주변의 따뜻한 시선도 받아서 좋았다.

딸! 다음엔 순수한 마음으로 같이 취미를 배워보자 사이좋게.

## 딸 마음

한 번쯤은 가 보고 싶은 마음도 조금 있었다. 그런데 엄마가 돈을 준다고 하시길래 혹시나 해서 오만 원을 말해 봤지만 어림도 없었다. 그래도 흐흐 한번 갈 때마다 삼만 원이 어디야.

"엄마, 사실은 몇 번 더 같이 가자고 말했으면 가려고 했어요."

마지막 수업 후 회원들과 점심을 먹으면서 들은 딸의 속마음이다.

# 친구들

사고 후 수술과 재활을 받는 동안 딸은 한 번도 친구를 찾지 않았다. 친구들이 걱정스러워 카카오톡을 보내와도 읽는 것조차 안 했다.

처음에 카카오톡을 왜 안 보느냐고 했지만 이제 와서

생각하니 글을 잃어 버려서 그랬던 것 같다. 안타까운 마음에 사고는 창피한 것이 아니라고 말은 했지만, 상실감은 헤아릴 수조차 없었다.

퇴원 후 통원 치료를 하면서 주말에는 밖으로 나가 걸으며 자극을 주는 시간을 가졌다.

사진 찍는 것을 좋아하는 딸이 유채꽃 사진을 찍어 인스타그램에 올렸는데, 친구가 그것을 보게 되었고 댓글로 지난주에 그 장소에서 유채꽃을 보고 왔다며 잘 지내냐는 안부를 물으면서 연락이 되어, 따뜻한 봄에 집으로 놀러 오기로 약속까지 잡았다.

그렇게 친구들이 일 년 반 만에 딸을 보겠다고 비행기를 타고 제주로 오게 되었다. 이박삼일 일정으로 왔다가 며칠 뒤인 딸 생일에 맞춰 선물과 케이크를 준비해 줬고 행복도 찾아주고 갔다.

친구들을 보니 머뭇거림도 없이 말도 많이 하고, 친구들과 웃고 떠들면서 지내는 모습에 남편과 함께 흐뭇했다. 저렇게 좋아하면서 일 년 넘게 어떻게 참고 견뎠을까? 저 나이엔 친구가 최고인 것을. 딸의 마음이 어땠을지 짐작이 갔다.

한편으론 별일 없이 졸업하고 취업했거나, 취업 준비하는 딸 친구들을 보니 우리 딸도 저랬으면 얼마나 좋을까? 지금의 감사한 마음을 잊은 채 욕심이 생기기도 했다.

짧은 일정이지만, 딸은 또래를 만나 행복해했고 부쩍 더 좋아져서 먼 곳까지 와준 친구들이 너무나 고마웠다. 헤어질 때가 되니 딸의 눈에 눈물이 그렁그렁 맺혔다. 못내 아쉬운 모양이다.

그 이후로 일이 있어 육지에 나갈 때면 말하지 않아도 친구들과 약속을 잡아 얼굴을 보고 같이 지내다 온다. 하루하루 예전 모습을 되찾고 있는 딸이 대견하다.
얘들아, 어느새 커서 친구 마음도 헤아릴 줄 알고 고맙다. 내년에도 꼭 집에 놀러 오렴!

◆ 푸른 달 (5월)

빨주노초파남보

계절의 여왕 오월이다.

날씨가 좋아 주말에는 특별한 일이 없으면 곳곳을 다니며 축제 구경도 하고 맛있는 것도 먹는다. 요 며칠 동안은 황사가 심해서 집안에만 있었는데, 오랜만에 맑은 하늘과 맑은 공기를 보니 반갑다. 딸을 깨우고 외출을 서두르며 딸에게 물었다.

"동서남북 어디? 이번엔 어디로 갈까?"

"달 100개 보러 갈까?"

병원에서 퇴원하면 가 볼 곳 리스트를 작성한 적이 있었다. 한참 재미있게 보았던 드라마 장면 중에 밤바다 위를 수놓은 달 100개를 향해 소원을 빌었던 곳이 생각났던 모양이다.

"아, 도두봉. 좋지!"

해안도로를 따라 달려가다 푸르고 탁 트인 바다를 보니 마냥 좋다. 맑은 날은 하늘을 품어서인지 바다색이 더 예쁘다.

밤이 아니라 고깃배는 없어서 달 100개는 못 봤지만, kisses 존이라고 포토 존에서 딸과 나란히 어깨동무를 하고 사진도 찍었다.

딸과 함께 도두봉 정상에서 탁 트인 푸른 바다를 바라보며 쌓여 있던 나쁜 것들도 날려 버렸다.

힘든 시간을 보낸 딸에게 이 끝없이 푸른 바다 만큼 행복한 미래만 있기를 소망해 본다.


"사랑해 딸!"

## 올레길 조천

이맘때가 올레길을 걷기에 참 좋다.

주말에 드라마를 본다는 딸을 설득해 봄기운이 가득한 조천으로 갔다.

처음부터 무리한 완주보다는 흥미를 주기 위해 코스마다 예쁜 곳을 찾아 걷는다.

앞에는 싱그러운 보리밭

그 옆에는 하얀 눈송이 같은 메밀꽃밭

길 건너에는 넓고 푸른 바다

보는 즐거움으로 걷고 또 걷는다.

올레길도 골라 걷는 재미가 쏠쏠하다.

어때? 호기심이 좀 생겼을까?

## 대중들

제각각인 사람들 틈에서 오늘도 우리는 살아가고 있다.
그 평범한 일이 누군가에게는 참 어려운 일이라는 것을
알게 되었다.
한 가지 소원이 생겼다.
딸아, 이 무리 속에 섞여 더불어 살아갈 수 있는 날이
오길 바란다.
너무 욕심내지 않고
너무 서두르지 않고
너무 조바심 내지 않기를.
언젠가 올 그날을 위해….

땅굴속에서 2023년 데이지.

## 녹차 한 잔의 행복

뜨거운 햇볕 아래 드넓게 펼쳐진 녹차밭이 보이시나요?

진한 초록이 주는 평온함이 느껴지시나요?

녹차 한 잔 마시며 쉬었다 가세요.

무엇이 더 필요할까요?

보는 것만으로도

볼 수 있다는 것만으로도 충분하지요.

행복이 별건가요 이것이 행복입니다.

2023년 5월 돼지.

## 오월의 선물

올해가 결혼 이십칠 주년이다.

하루 종일 딸과 부대끼며 책 읽고 말하고 운동하고 지내는 내게 남편이 퇴근하며 스물일곱 송이 장미를 품에 안고 들어왔다.

　"아빠, 내 거야?"

　"응, 우리 딸 장미 좋아해?"

　"치이, 엄마 거네. 엄마 받아"

그러자 남편이 장미를 들고 있는 딸 등을 내 쪽으로 밀며 말한다.

　"한 세트야."

그래 지금 그 어떤 선물이 딸을 대신할 수 있을까?

스물일곱 송이 장미를 품에 안은 딸아, 너도 오월의 선물이란다.

202305 데이치.

## 생일이 언제지? 미안해 셋째 딸

이름 토실이
나이 스물둘
성격 안하무인
성별 또, 딸

우리 집은 딸이 셋이다. 그중에 막내는 막강한 힘을 가지고 있다. 든든한 둘째 언니가 하늘에 있는 별도 달도 따다 준다고 할 정도다. 얼마나 애지중지 데리고 다니는지 대전에서 제주집에 올 때도 캐리어에 넣지 않고 꼭 같이 비행기를 탄다. 답답할 거라나

여름엔 더울까? 걱정하고 겨울엔 추울까? 이불을 꼭 덮어준다. 목욕도 향기 나는 바디워시를 쓰고 드라이기로 살살 말려 준다. 건조기나 세탁기는 어지러워서 안 된다고 한다.
가끔 그 꼴을 못 보겠는지 큰딸이 구박이라도 할라치면

어느새 둘째 딸이 달려와 큰딸에게서 토실이를 데리고
간다. 그리곤 언니를 향해 눈을 흘긴다.

둘째 딸이 사고 후 중환자실에 의식 없이 누워 있을 때, 토실이를 보면 깨어날까 싶은 마음에 기숙사에서 데려와 면회 때마다 중환자실에 데리고 들어갔다.

날마다 간절한 마음으로 토실이와 기도했다. 그리고 3주 만에 의식이 돌아왔다. 함께 기적을 지켜봤고 소중한 가족이란걸 인정하게 되었다.

그러나저러나 성인이 된 토실이는 언제쯤 취직하고 분가하려나? 이젠 둘째도 셋째도 자기만의 세상을 찾아야 할 텐데 그런 날이 오겠지!

◆ 누리 달 (6월)

# 유월의 수국 1

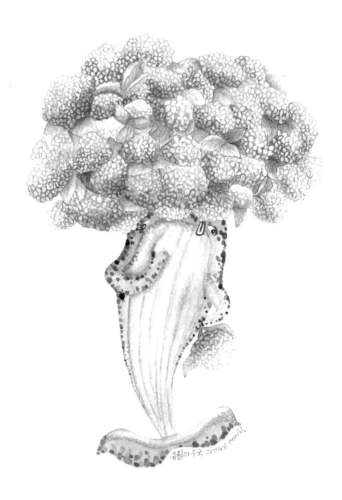

유월의수국, 2022년 에미지.

유월은 수국, 수국

이곳저곳 수국, 수국

모두들 수국, 수국


여름이 기다려지는 이유가 있다면 유월에 피는 수국 때문이다. 다양한 색깔과 커다란 송이가 보고 있으면 마음이 차오르듯 무언가가 몽글몽글 피어오른다.

개인적으로 푸른색 수국이 예뻐서 좋아한다. 네 잎으로 이뤄진 작은 꽃들이 모여 또 다른 하나의 커다란 꽃을 만들고 있다. 우리 가족 같기도 하고 형제 같기도 하다.

수국은 땅의 성분에 따라 피는 꽃의 색깔이 달라 귀신꽃이라고도 한다. 자연은 참 신비롭다. 어떻게 때를 맞춰서 피고 지고 살아가는 걸까?

딸도 자연에 순응하는 수국처럼 사람들과 더불어 삶을 살아가는 그런 날이 얼마 남지 않았으리라! 탐스러운 수국을 보며 힘을 내본다.

## 여름 애월의 즐거움

한여름 애월은 색다른 즐거움이 있다.
밭담 사이로 보이는 초당 옥수수
 "톡톡 아삭아삭 해요".

여기저기 만발한 소담스러운 수국은
 "저 여기 있어요, 얼큰이에요!"

밭담과 밭담 사이로 넘칠 듯 차오르는 메밀꽃은
 "팝콘 한 봉지 담아가세요".

싱그러운 나무와 창고를 타고 오르는 담쟁이도
뭐라고 하는지, 바람에 실려 사각사각 소곤소곤.

 "어때요?"
 "애월의 즐거움이 보이시나요?"

애월풍경 202306 데이지.

# 공항 가는 길

아침부터 서둘러 준비하고 비행기를 타러 공항으로 갔다. 이른 장마가 시작되려는지 비가 와서 우산까지 챙겨 들고 공항으로 가는 딸의 발걸음이 그 어느 때보다 가볍고 설레어 보인다.

이번 외출은 이박삼일 일정으로 남편과 내가 건강검진을 받으러 나가는 길이다. 둘이 건강검진을 받는 동안 딸은 언니 집으로 먼저 가서 지내기로 했고, 우리는 검진이 끝나고 가기로 했다. 언니 집은 공항에서 버스를 타고 가야만 한다. 아직은 혼자 장거리 버스를 타는 것이 처음이라 걱정스럽지만, 작은딸은 혼자 즐기는 여행을 느껴보고 싶은 모양이다. 가는 내내 신났다.

김포공항에 도착해서 버스를 태워 보내며 내릴 곳을 알려줬다. 가다가 모르면 기사님께 물어보라고도 일러줬다.

공항가는길
그ㅇ그ㅇ6데이지.

그리고 큰딸에게 버스가 출발했으니 도착하기 전에 터미널에 마중 나가 있으라고 여러 번 일러뒀다. 남편이 옆에서 그만하라고 말리는 통에 조바심을 내려놓고 딸의 홀로서기를 응원해 주었다.

몇 시간 뒤 딸들은 잘 도착해서 만났다는 연락이 왔고, 큰딸이 집에서 소고기를 구워줬다며 사진도 보내왔다. 동생이 온다고 이래저래 신경 쓰는 큰딸도 덩달아 철든 것 같아 마음이 쓸쓸했다.

앞으로도 한 걸음 한 걸음 이렇게 내디디며 일상으로 돌아가자. 잘했어! 엄마가 괜한 걱정을 했구나!

## 여름 숲속 동화 나라

제주는 섬이다. 한라산을 중심으로 마을은 나란히 마주 보고 있고, 고깔모자처럼 아래는 바다가 위로는 한라산이 있다.

한라산 정상을 동쪽에 끼고 제주시와 서귀포시를 잇는 산간 도로에 1100고지 휴게소가 있다. 보슬비가 내리는 날 장마를 대비해 사 둔 장화를 신고 둘레길을 걷기 위해 딸과 나섰다.

휴게소에 차를 주차하고 도로에서 몇 발짝 안으로 들어가니 신비스러운 숲속이 나왔다. 계곡에 있는 돌들은 '겨울왕국' 영화의 트롤 같아 웅크린 몸을 벌떡 세워서 인사를 할 것만 같고, 우거진 나무숲 사이로는 사슴 가족이 눈을 동그랗게 뜨고 우릴 지켜보고 있었다.
누구냐고 묻는 걸까?
딸은 핸드폰을 꺼내 사진을 찍었다. 그동안 사슴 가족

은 별일 아닌 듯 숲 안쪽으로 들어가 버린다.

식물들도 다양하다. 저마다 생김새가 다른 이름 모를 잎이다. 한 줄로 걷다 잠깐 멈춰 시선을 돌려보면 뒤따라오던 딸이 금세 사라진다.

1100도로 휴게소 2023.06 데이지。

잎들이 풍성한 가지를 뻗어 딸을 숨겨 버렸다.
딸이 안 보이면 잘 따라오고 있니? 내가 찾고, 내가 안 보이면 엄마 어디 있어? 딸이 나를 찾고 서로 지척에 두고 숨바꼭질한다.

한여름의 숲속 같은 이곳은 지대가 높아서인지 덥지도 않아 산책하기에 좋은 곳이다.
숲이 전해주는 이야기와 보여주는 이야기에 정신없이 시간을 보냈던 어느 여름날이었다.

◆ 견우직녀 달 (7월)

## 그러나 우리가 사랑으로

새로운 삶을 찾아 떠날 수밖에 없었던 사람들 이민자와 낯선 존재들이 찾아오면서 긴장하는 사람들의 이야기를 주제로 한 '그러나 우리가 사랑으로' 전시를 보고 딸이 어느 한 피에로 옆에서 같은 고민을 하는 모습이다.
많은 것을 보고 많은 생각을 하게 했던 전시였다.

출처 포도박물관
2023년07월 전시관에 다녀와서

## 여름을 보다

눈은 모든 것들을 담아낸다.

시각적으로 보이는 것뿐 아니라, 슬픔 행복 즐거움 치유 등 사람의 감정도 담아 내기도 한다.

집 밖을 나서면 보이는 푸르름은 나에게 치유다.

빽빽한 숲

벌써 아기 주먹만큼 커버린 귤밭

붉은 배롱나무

만 개의 부채 꽃 자귀나무

아침부터 딸과 티격태격했던 감정이 차 창밖으로 보이는 풍경에 스르르 잦아들었다.

딸 미안해! 엄마가 너무 서둘렀지. 다음엔 좀 천천히 기다려 줄게.

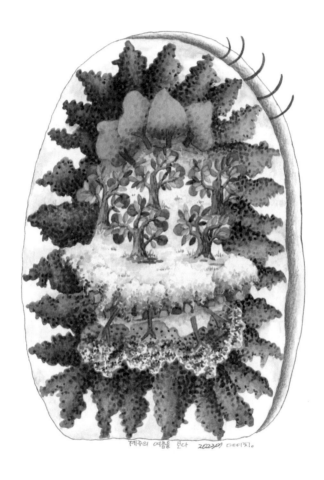

제주의 여름을 본다 2023이 데미지。

# 우리 동네 카페 2

여름 한낮의 더위는 뜨겁다 못해 따갑기까지 하다. 몇 초 사이에도 온몸이 타는 것 같다. 계속되는 더위에 지쳐 아침부터 카페에 가자고 딸을 설득했다.

이러다 엄마 죽을 것 같다고 새로 생긴 카페라 오픈 기념으로 예쁜 머그잔도 준다고 성화를 해댔다.

겨우 설득해 들어간 카페 안은 시원하고 넓고 원두막처럼 방이 따로 되어 있어서 딸도 맘에 들어 했다. 차를 주문하는데 딸이 와보길 잘했다고 웃는다. 딸의 미소에 나도 덩달아 웃는다.

자리를 잡고 앉으니, 창밖으로 보이는 콩잎이 바람에 살랑살랑 얼굴 한 번, 뒷모습 한 번 번갈아 고개를 돌리면서 손짓하는 것 같다. 뜨겁지만 알찬 열매를 맺기 위해서 지치지 않고 잘 버티고 있다고 말하는 것일까?
너는 어떠니?
나도 딸도 회복을 위한 길고 긴 여정에 지치지 않으려고 애쓰는 중이지 우리 응원해 줄래?
뜨거운 햇볕에도 시들지 않는 콩잎에 힘을 내보며 딸과 함께한 시간이었다.

◆ 타오름 달 (8월)

## 본 태 박물관에 다녀와서

이번 주에는 어디를 가 볼까?

인터넷으로 검색하다가 제주에 물, 바람, 돌 박물관이 있어서 가 보고 싶었지만, 예약을 못 해서 관람이 어려웠다.

못 본다고 생각하니 더 궁금증이 생긴다. 딸과 방법을 찾아볼 요량으로 검색을 더 하다가 동일 건축가가 설계한 방주교회와 본 태 박물관을 찾았다.

방주교회는 남편과 한번 큰딸과도 한 번 가 봤지만, 작은딸은 못 가봤다고 하니 이참에 보러 가자고 했다.

건물 주변에 물이 있어 물 위에 건물이 떠 있는 듯하고, 물 비침이 좋아 사진찍기 좋은 장소다. 교회 안은 고요하고 아늑해서 누구라도 두 손 모아 간절히 기도를 드리고 싶어지게 하는 곳이다. 우리도 잠시 걸음을 멈추고 두 손을 모으고 눈을 감았다.

교회에서 나오니, 딸은 배가 불러야 박물관 관람할 맛이 날 것 같다며, 근처 검색해 둔 식당에서 점심을 먹고 가자고 나섰다. 반찬은 정갈하고 소고기국밥도 비빔밥도 푸짐한 감자전도 맛있었다. 국물까지 후룩후룩 다 마신 국밥과 배는 불러도 계속 들어가는 감자전 때문에, 다시 꼭 오고 싶은 맛집이다.

배는 부르고 눈은 즐겁고 볼 것도 많은 본 태 박물관이었다. 인상에 남는 조형물은 '쿠사마 야요이' 님의 노란 호박이었다. 강렬한 노란색에 획일적 무수한 점들이 묘한 느낌을 주었다. 돌아오는 내내 머릿속에서 그 강렬함이 떠나지 않았다. 딸도 무한의 공간과 호박이 인상에 남는 듯했다.

호박이라는 소재를 어떻게 생각해 냈을까? 내게 호박은 창작의 소재보다는 달콤한 죽이 최고인데 말이다.

'쿠사마 야요이' 님의 호박을 모티브 하다.

# 수박

여름이다. 덥다고 생각하니 더 덥다.

병원에 있을 때는 더운 줄 모르고 여름을 보냈다. 긴장이 풀려서인지 다른 때 보다 올여름이 더 덥다. 갱년기 시작이라서 그런지도 모르겠다. 밤이고 낮이고 속에서 열이 올라 잠을 설치기 일쑤다.

방법을 찾아야 한다. 여름이 지나가기만을 기다리다간 불덩이가 돼서 타 버릴 것만 같다. 더울 때 아이스크림이나 얼음을 먹으면 잠시나마 더위가 가시듯 우린 수박을 선택했다. 일주일에 수박 2~3통씩 먹었다. 더워서 먹고 간식으로 먹고 더워지면, 또 먹고 심심하면 먹고 먹었다.

주식이 밥이 아니라 수박이 되었다. 수박 속에 파묻혀 책을 읽고 문장 따라 외우기도 하고 글쓰기 연습도 하고 게임도 하면서 그렇게 딸과 여름을 보냈다.

내년은 더 덥다는데 어쩌지?

딸, 내년은 내년의 태양이 떠오를 테니 내년에 고민하자!

Good-bye 여름 그리고계속 무더위도.

## 영화 밀수를 보고

특별한 것을 찾다가 날씨는 덥고 야외 활동도 힘들어서 생각해 낸 것이 영화다. 우리 가족은 영화 보는 것을 참 좋아한다.

코로나19가 시작하기 전에는 문화의 날이면 꼭 영화를 챙겨보는 편이었고 종종 주말에는 영화관에서 두 편을 연속으

로 관람하기도 했다. 그러다 보니 영화 장르를 가리지 않고
보는 편이고 공포 영화만 수위를 가려 본다. 딸들도 나를
닮아 겁이 많다.

"영화 볼까? 더운데 시원한 곳에서 팝콘도 먹고 어때
딸?"

"그럴까? 뭘 볼까?"

김혜수 님이 나오는 영화가 새로 개봉했다는 딸의 말에 우
선 통신사 할인을 받아 예매하고, 남편도 시간을 맞춰 퇴근
하라고 일러뒀다. 예전이나 지금이나 영화예매는 내 몫이다.

시원한 물과 육포를 준비하고 팝콘도 주문해서 먹고 뜯으며
편안하게 영화 관람을 했다. 영화는 해녀가 바다를 통해 밀
수품을 들여오는 이야기로 보고 나서 딸과 오는 내내 이런
저런 이야기를 하느라, 그날 말하기 연습을 따로 하지 않아
도 되는 좋은 점도 있었다.

딸과 이야기를 나누다 보니 복선이 깔린 부분은 아직 어려
워했다. 자주 시간을 내서 영화 관람도 해야겠다.

오늘 밤 꿈에 딸과 함께 해녀가 되어 같이 보물섬을 찾는
꿈을 꿔 보면 어떨까?

◆ 열매 달 (9월)

## 마을 사랑 음악회

이른 저녁을 먹고 선선한 바람을 맞으며 산책하려고 딸과 1
층 현관문을 나섰다. 아파트 잔디광장에 못 보던 사람들이
모여 악기를 가지고 앉아 있는데 오십 명은 돼 보였다.

"이거 뭐야?"

딸이 대뜸 묻는다.

"몰라, 뭐 하나? 관리실 방송 못 들었는데"

우린 남편을 쳐다봤고 남편도 모른다는 표정이다. 그러고 보
니 저녁 먹을 때 클래식 음악이 들렸던 것 같기도 했다. 별
일 아니려니 했는데 나와보니 별일이다.

산책은 잊어버린 채 이 많은 사람이 여기 왜 있을까? 두리
번두리번하던 차에 주민들이 하나둘씩 모였고 곁으로 다가
오는 주민에게 물으니, 음악회를 한다고 하신다.

아라아미타그 마을사랑 음악회
2024년 데이치。

"딸, 음악회를 한다네".

"음악회? 왜? 여기서?"

"그건 엄마도 모르지! 기다려 보면 되지 않을까?"

주민들이 어느 정도 모이자, 입주자대표라는 분이 단상에 올라 찾아가는 마을 사랑 음악회로, 신청을 통해 우리 아파트에서 제주예술단 주최로 제주교향악단과 제주 합창단이 오셔서 음악회를 한다고 설명을 해 주셨다.

"딸 들었지! 아파트에서 신청했데."

"응 엄마"

제주엔 이런 행사도 있구나! 연주 목록을 보니 우리 가족이 즐겨봤던 영화 캐리비안의 해적 OST와 흥겹고 신나는 경기병 서곡, 신해철의 그대에게 등 연주곡들도 마음에 들었다.


산책은 뒤로하고 아파트 내에서 오십 여명의 교향악단과 합창단의 연주와 노래를 들으며 깊어 가는 가을의 정취를 흠뻑 느낄 수 있었던 밤이었다.

그 밤 귀뚜라미도 같이 즐겼다는 뒷이야기가 있다.

## 아부오름에 가다

어느 곳을 갈지 목적지를 정하고 이동할 때도 있지만 맛집을 찾은 후 근처 볼거리를 찾을 때도 있다.

핸드폰을 만지작거리다가 '치즈달빵'이란 걸 보게 되었다. 우선 빵 모양이 초승달 같고 배는 볼록하다. 찾아보니 빵 안에 치즈가 들어있고 먹을 때는 빵에 아이스크림과 라즈베리를 얹어 먹는 것처럼 보이는데 무슨 맛인지 먹어보고 싶어서 근처 가 볼 만한 장소를 찾은 곳이 아부오름이다.

아침저녁으로는 선선한 바람이 불고 한낮도 더위가 가시어 걷기 좋았다. 제주의 오름이 대부분 그렇듯 정상은 굼부리로 되어 있었다. 굼부리 안에는 삼나무 숲이 또 다른 원을 그리며 이색적인 모습으로 자라있었다. 오름 정상에서 둘레를 따라 한 바퀴를 돌다 보면 소나무 숲과 허리까지 자란 자색 수크령이 바람에 일렁인다.

수크령 물결이 일렁이는 아부오름에서 사진도 찰칵!

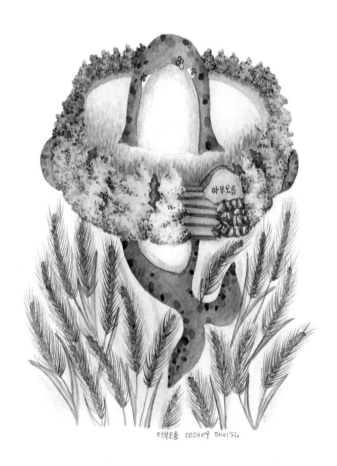

아부오름 2023.09 헤이치。

딸은 이런저런 포즈를 취하고 남편은 찍느라 정신없다.

오름에서 내려와 치즈달빵을 먹으러 갔다. 옛날 집을 개조한 카페는 아기자기한 소품들로 채워져 정겹고 멋스러웠다. 딸은 운동을 해서 배가 아주 고프다고 치즈달빵, 카이막과 피데빵, 마르게리타 피자까지 주문해 든든히 먹었다.
기대했던 것보다 치즈달빵 맛이 별미였다. 치즈 빵과 아이스크림, 꿀의 조합이 설명까지 해주시는 사장님의 자부심이 느껴져서인지 더 맛있었다.

카페에서 나오니 제주 해녀 축제가 열리고 있었다. 딸은 날을 잘 잡아 온 것 같다며 축제도 즐기고 덤으로 축제 기간에 박물관의 관람료가 무료라서 더 좋아했다.
역시 공짜는 고래인 딸을 춤추게 하는구나!

## 올레길 18코스

올레길 18코스 중 조천은 골목골목 걷기에 좋은 곳이다. 집들이 오밀조밀 붙어 있어서 아기자기하고 예쁘다. 딸과 운동 삼아 걸으며 산책한다.

어느 집 담장 안 빨랫줄엔 아기 빨래가 한가득하다. 마당엔 타다가 아무렇게나 놔둔 세발자전거가 나뒹굴고 있다. 아주 개구쟁이 아이가 있는 집인 것 같아서 미소를 머금게 했다.
하나일까? 둘일까? 엄마가 힘들진 않을까?

그 옆 조그만 펜션엔 손님이 이제 막 퇴실했는지 오후 햇살에 이불을 널며 청소하는 분주한 주인도 보인다.
어떤 손님들이 묵고 갔을까? 연인이었을까?

또 어느 집 낮은 돌담엔 덩굴을 뻗어가며 자라는 큼지막한 수세미가 보이고, 마당 한 편에는 아기자기한 꽃과 나무가 잘 가꿔진 작은 정원도 보인다.
정원 솜씨는 아내일까? 남편일까?

이 골목에 숨겨진 이런저런 이야기들이 우리의 걸음을
느리고 더디게 만든다. 행복이라는 것이 평온함이라는
것이 이런 것 아닐까? 날이 적당해서 바람이 살랑살랑
불어서 너와 함께여서 더 좋았다.
우리 조금만 더 힘내서 다음엔 올레길 완주를 해보자
딸!

올레길 18코스. 2023.09. 에이치.

딸은 뭐할까?

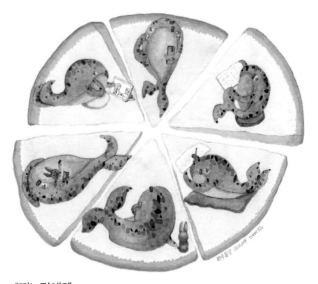

"딸! 뭐해?"
"응 핸드폰 하지?"
"이제 그만하고 책 읽은 건 어때?"
"엄마, 사랑해!"

"딸, 뭐해?"

"응 토실이랑 그냥 누워있어?"

"그럼, 지금 문장 읽기 할까?"

"응 엄마 사랑해!"


"딸은 뭐하지?"

"응 음악 듣지, 토실이랑"

"딸 밥부터 먹고 음악 들으면 어떨까?"

"엄마! 엄마 사랑해!"


"딸은 뭐할까?"

"지금 드라마 보고 있어 말 시키지 마!"

"책부터 읽고 드라마 보는 건 어때?"

"응 엄마 정말 사랑해!"


"딸 뭐해?"

"응 책읽어".

"그래? 정말? 딸 사랑해!"


딸들은 하고 싶지 않은 일이 생길 때면 '엄마 사랑해'로 상황을 모면하곤 한다. 이런 건 가르치지 않아도 저절로 터득하나 보다.

나도 그랬었나?

◆ 하늘연 달 (10월)

## 나의 가을

산책길에 만난 가을은 돌하르방 옆으로 온통 노랗게 펼쳐진 귤밭과 길가의 코스모스가 있다. 샛노란 귤이 잠시 발걸음을 멈추게 한다.

오름을 오르다 만난 가을은 억새가 바람에 물결처럼 일렁인다. 그 억새를 따라 정상에 오르면 발아래 백설기 같은 메밀꽃밭이 마음을 사로잡는다.

올레길을 걷다 만난 가을은 파란 하늘을 담아 더 푸른 바다와 뉘엿뉘엿 넘어가는 해가 붉게 물들이는 석양이 있다. 제주의 석양은 앗! 소리 나게 환상적이다.

가을이 오는 것만으로도 설레고 기분 좋은 이 모든 것이 나만의 가을이다.

이 가을 함께하실래요?

202310 데이지.

# 1인 1 스테이크가 생각나는 날

아이들이 자라면 품에서 떠나기 마련이다. 하나둘 제각기 자리를 찾아 떠난다. 특별한 일이 아니면 한 번씩 얼굴 보기도 쉽지 않다.

이번에 큰딸이 제주로 출장 왔다가 집에 온다는 소식에 작은딸은 아이처럼 손을 꼽으며 하루하루를 기다렸다. 큰딸과 집밥도 먹고, 회와 뿔소라도 먹고, 돼지고기도 먹고, 예쁜 카페도 갔다. 오늘 저녁은 뭘 먹을까? 하다가 outback에 가기로 했다.

식당으로 들어가 잠시 기다리니 로봇이 자리를 안내해 주었다.

"이번에도 스테이크를 사람 수대로 시킬 건 아니지?"

"엄마는 이젠 안 그러지!"

내 말에 가족들이 웃었다. outback에 처음 갔을 때, 우리 가족은 사람 수대로 스테이크 네 개를 주문했었다.

스테이크집에 왔으니 당연히 스테이크를 먹어야 한다는
생각이었다.

직원이 다른 세트 메뉴를 추천해 주었지만, 우리 가족 중 그 누구도 스테이크를 포기하지 않아서, 그날 네 명이 스테이크 네 개를 먹었던 기억이 났다.

주문한 스테이크와 파스타 수프를 먹으면서 연신 조잘대는 큰딸과 작은딸의 얼굴에 웃음이 가득하다. 먼저 식사를 마친 남편이 흐뭇한 얼굴로 딸들을 바라본다.
기억이 있으니, 추억도 있다. 사고 후 작은딸의 기억은 감사하게도 그대로다. 그때를 추억하며 지금의 행복을 함께 할 수 있어서 다행이었다.

◆ 미틈 달 (11월)

## 나비

나비가 되어 훨훨 날 수 있다면
엄마, 어디로 가고 싶어?
나 살던 집에 가면 좋지!

나비가 되어 훨훨 날 수 있다면
딸, 누구를 만나고 싶어?
친구들을 만나고 싶지!

나비가 되어 훨훨 날 수 있다면
나는 뭘 하고 싶을까?
글쎄! 난 나를 찾고 싶어.

2023기 데이지。

## 사과를 한 아름 안고

나는 사과를 좋아한다.

어려서부터 먹어서 그런지 늦가을 꿀이 들어 있는 빨간 사과를 한입 베어 물었을 때 입안 가득 퍼지는 새콤함이 좋고, 여름에만 맛볼 수 있는 과즙 가득한 풋사과의 싱그러운 맛도 좋아한다.

남편은 사과를 못 먹는다. 아니 먹을 줄 모른다는 표현이 더 맞는다. 결혼 후 사과를 즐겨 먹는 나 때문에 조금씩 먹어보더니, 이젠 여름 풋사과를 좋아하게 되었다. 딸들은 나와 남편을 반반 닮았다. 큰딸은 사과를 좋아하고 작은딸은 사과를 싫어한다.

내가 태어난 고향은 사과 과수원이 많고 맛도 좋다. 봄이면 분홍빛 사과꽃이 지천으로 피어 예쁜 곳이다.

요양병원에 계시는 엄마를 보고 오는 마음이 어찌나 무

겁던지 발길이 떨어지질 않았다. 엄마는 항상 이맘때쯤 사과를 사서 항아리에 담아 두시고 사과를 많이 먹어야 몸에 좋다고 하시면서 겨우내 간식으로 주셨었다.

새콤달콤 아삭아삭. 그때 생각이 나 사과 두 상자를 샀다. 겨우내 딸과 남편에게 주려고 한다.
나도 엄마 닮아가나 보다.

# 시험공부 1

딸은 하루하루 변화하는 중이다. 새로운 것에 두려움 없이 도전하고 앞으로 한발 나아가기 위해 노력하며, 주변의 유혹에 흔들림 없이 자기만의 길을 가고 있다.

잃어버린 이십삼 년을 채우기에 우선순위가 되는 것은 없다. 그렇다고 체계적으로 단계가 필요한 것도 아니다. 지금은 할 수 있는 것부터 시작하는 것이 맞다고 생각한다. 딸은 내년에 대학원 복학을 목표로 삼고 있다. 할 수 있는 만큼 노력을 해보고 그때 가서 가부를 결정하면 될 일이다.

인터넷 강의를 들으며 얼만큼 이해할 수 있는지를 확인해 보려고 한국사 시험 준비를 시작했다고 한다.
우선 복학하면 첫 번째가 강의를 제대로 들을 수 있을지 나름 확인해 보고 싶었던 것 같다. 몇 주 안 되는 시간 준비해서 많은 기대는 안 했지만, 막상 결과를 보고는 실망하는 눈치다. 딸은 다음에 또 보면 되지 뭐! 하며 대수롭지 않다는 듯, 오히려 내 마음을 다독여 준다.

그래! 그럼 되지.

딸, 고마워 사랑해!

◆ 매듭 달 (12월)

## 아낌없이 주는 나무

딸과 함께 요양원에 계신 엄마를 만나러 가는 날이다. 힘없이 침대에 누워 계신 할머니의 두 손을 꼭 잡고
  "사랑해요. 할머니, 송이 왔어요"
힘없이 겨우 고개를 끄덕이는 모습이 전에보다 몰라보게 야위었다. 전혀 식사를 못 하신다고 하니 그럴 것이다. 살이라곤 찾아볼 수 없는 다리를 주무르니 아프다고 얼굴을 찌푸리신다.

또 언제 오게 될지 몰라 마음은 조급해지고 무엇을 해 드려야 하는지 몰라 허둥대기만 했다. 말을 시켜도 대답하는 것조차 힘들어하셨다. 한참이 지나고서야 딸 손을 잡으며
  "밥 많이 먹고 운동 열심히 해야 해!"
온 힘을 다해 딸에게 얼굴을 돌리며 한 말씀 하신다.

어린 시절 읽었던 '아낌없이 주는 나무'가 떠올랐다. 모

든 것을 내어주시기만 하다 늙고 병드신 어머니! 딸의
딸에게도 아낌없이 내어주신다. 엄마의 딸로 태어나서
좋았습니다. 감사합니다. 어머니!

## 두 할머니의 사랑

할머니의 사랑은 언제나 그 자리에서 우리를 기다려 줍니다. 병원에 계신 친할머니와 외할머니를 모두 만나고 온 날 돌아오는 비행기 안에서 딸에게 물었다.

"외할머니 만났을 때 이번엔 사랑한다고 말하지 않던데?"

의식 없이 누워계신 친할머니를 보고 놀라움에 아무 말도 못 한 것이 마음에 걸렸는지 외할머니를 만나서도 예전 같지 않게 말수도 적고 침울해 보였었다.

"친할머니 만났을 때 눈을 감고 계셔서 아무 말도 못 했는데, 외할머니한테만 사랑한다고 하면 친할머니가 속상하실 것 같아 못했어."

그래 네 마음이 그랬구나!

딸은 오늘도 세상을 배워가는 중입니다.

## 두 할머니와의 이별

나쁜 일은 몰아쳐 온다는 말이 있다.

친정어머니가 난소암 진단을 받고 수술을 받으셨다. 다섯 시간 넘는 수술을 받고 엄마는 씩씩하게 일주일 만에 퇴원하셨다.

그리고 일 년 후 암이 재발해 재수술을 받으셨고, 항암 치료 없이 생활하시다가 올해부터 증상이 심해지셨다. 고령으로 수술은 못 하시고, 혹 덩어리가 너무 커서 힘겹게 버티시다가 추석을 집에서 보내시고 바로 병원에 입원하셨다.

제대로 당신의 상태를 인지 하실수록 말 수는 줄고, 얼굴은 슬픔이 묻어났다.

병원에서 더 이상 할 수 있는 치료나 시술이 없다고 해서 퇴원은 요양병원으로 하셨다. 모셔다드리고 돌아오는 길에 정신이 없어서 비행기표를 예약하지 않은 것을 알았고, 서둘러 공항을 김포로 바꿔 마지막 비행기를 타기 위해 입석으로 기차에 올랐다.

공항에 도착해 늦은 시간 영업 중인 식당을 찾아, 밥을 주문하고 남편과 통화를 했다. 눈물이 쏟아졌다.
병실에서 비행기표 예매를 하려다가 다른 일이 생겨 못하고 예매 한 줄로 착각한 것이 억울해서일까? 아니면, 엄마만 홀로 요양병원에 두고 내 한 몸 편해지자고 매몰차게 뒤돌아서서 온 미안함일까?
뒤죽박죽 섞인 생각들이 눈물을 쏟아지게 했다.

듣고 있던 남편 입에서 나온 말은 위로가 아닌 놀라운 말이었다. 어제 시어머니가 뇌출혈로 쓰러지셨고, 병원에서 응급수술을 받으셨는데 아직 의식이 돌아오지 않은 상태로 의식이 안 돌아오실 수도 있다는 말이었다.
순간 뒤돌아서 시어머니 병원으로 가야 하나, 어떻게 어디로 가야 하나 멍했다.

한 어머니는 얼마 남지 않은 시간을 고통 속에서 보내야 하고, 또 한 어머니는 언제 어떻게 될지 한 치 앞을 모르는 상황이다.

두 어머니가 매 순간의 위기를 넘기시면서 지내신 지 두 달 정도 되셨을 때, 친정 오빠에게서 연락이 왔다.
어머니가 위독하시다는 말이었다.

서둘러 비행기를 예매하고, 딸의 치료 일정을 조정하고, 짐을 싸서 다음날 요양병원으로 갔다.

"엄마, 나왔어, 누군지 알아보겠어?"

엄마는 대답 없이 고개만 끄덕이셨다. 눈동자를 움직여 딸과 남편도 왔다는 인사를 받았다. 다행히 의식은 또렷하시고 명료하셨다.

병실에서 자식들이 모여 주말을 보내고 힘든 엄마 앞에서 울기도 하고 웃고 떠들며 옛날이야기도 했다. 어느 때보다 슬픈 상황이었지만 한편으론 엄마 품에 있던 어릴 적 평온함 같은 것이 느껴졌다.

생각보다 엄마는 잘 버텨내셨다. 의사도 정신력이 강하다고 놀라셨다.

엄마가 힘겹게 버티시는 동안 딸과 함께 시어머니 임종 면회를 다녀왔다. 아직도 의식을 회복하지 못하시고 위기의 매 순간을 넘기고 계셨다.

"어머니, 막내 왔어요, 딸도 왔어요. 들리시죠?"

"할머니 송이 왔어요. 눈 좀 떠 보세요."

얼마나 힘드실지 가늠할 수는 없지만, 이런저런 이야기를 해 드리고 짧은 면회를 마쳤다.

다시 친정어머니에게 가야 해서 큰딸 집에 들러 대충 씻고 있는데, 위독하시다는 연락이 왔다.

30분은 걸리는데 어쩌나 엄마 조금만 참아주세요. 제

얼굴 한 번 보고 가세요. 눈물이 왈칵 쏟아졌다. 부랴부랴 옷을 챙겨 입고 병원으로 달려갔다.

"엄마, 엄마 나왔어, 막내 왔어요!"

아직 알아보셨다. 눈을 동그랗게 뜨고 움직이신다. 그날 집에 갔다 다시 온 언니네도, 출근하려다 말고 온 큰오빠네도, 병실을 지켰던 작은오빠네도 우리도 모두 한시도 떨어지지 않았고 엄마의 임종을 지켰다.

엄마 고생 많으셨어요, 우리 이만큼 키우고 살아가게 해주시느라 얼마나 힘드셨어요. 이젠 편안해 지세요.

친정어머니를 보내드리는 날 비 님도 오시고, 바람 님도 오시고, 눈 님도 오셨다. 엄마 인생이 힘겹게 애쓰셨던 만큼 날씨도 변화무쌍했다.

어머니를 배웅해 드리고 우린 제주로 내려왔다. 지난 일주일간의 짐들을 정리하고, 다시 새 짐을 꾸려 놓았다. 다음 날 저녁에 시누이가 병원으로 가는 중에 어머님이 임종하셨다는 연락을 받았다며 전화가 왔다. 다시 비행기를 타고 바로 장례식장으로 갔다. 쓸쓸하기만 한 방에 시어머니님이 웃고 계셨다. 갑자기 찾아온 이별이기에 더욱 안타깝고 슬펐다.

어머니 어머니도 힘드셨죠. 이젠 편안해 지세요. 가시는 길에 친정어머니를 만나시거든 손잡고 의지하시며 함께

가세요.

우리는 그렇게 두 어머니 배웅을 해 드렸다.

반년이 지난 지금 언제든지 집에 가면 두 어머니를 만
날 수 있을 것 같은 마음으로 지내고 있다.

어머니도, 시어머니도 감사합니다.

두 번째 해

◆ 해오름 달 (13월)

## 날아라 마르게리타 스케이트보드

　"난 마르게리타 피자"
앉자마자 내가 주문했다.
　"알리오 올리오 시켜줘, 나 혼자 먹게 따로 시켜줘"
남편이 주문하면서 파스타에 욕심을 냈다.
　"잠깐만, 응~ 난 뭐 먹지! 왕새우 로제 파스타 먹을
까?"
　"또?" 내가 묻자
　"엄마도 매번 마르기이피자만 먹잖아!"
하면서 입을 삐죽인다. 그새 마르게리타 피자 이름을
잃어버렸다. 머릿속에서 단어들이 맴돌 뿐 입으로 꺼내
는 것이 어렵고 느리다. 우리말도 아니니 더 그렇다.
　"마르게리타 피자야"
　"응, 마르게이 피자"
　"아니, 마 르 게 리 타 피자라고"
　"응, 알았어! 알았다고 그 피자, 엄마는 그 피자만 한
다고"

"피자만 한다고?"
가 아니고
"피자만 먹는다고나, 주문한다고가 맞아"
 "그래, 알았어! 피자만 먹는다고, 엄마도 매일 똑같다니까"
 "그렇지, 잘했어!, 난 이 피자가 좋은걸"
조금 짜증을 내면서도 따라 말해 보려고 노력하는 모습이 안쓰러우면서 대견하다.

언어가 참 어렵다. 딸은 언어를 주관하는 왼쪽 뇌에 손상이 심해서 말을 배우는 아이처럼 엄마, 아빠부터 시작해서 읽고, 쓰고, 말하기를 계속하고 있다.
아이처럼 습득이 빠르지도 않고 여러 번 반복해도 처음인 것처럼 기억해 내기가 어렵기도 하다.

처음 일기 한 줄을 쓰는데 한 시간이 넘게 걸렸었다.
일기 쓰기에 딸도 나도 너무 지쳐서 한동안은 병원 식사 메뉴를 기억하고 쓰는 것부터 시작했었다. 그마저도 쉽지 않았다. 메뉴를 기억해 내는 것도 어려워했고, 볶음, 무침, 조림, 구이 등 요리법이 뭔지도 몰라 설명하고 또 하면서 쓰다 보니 아침, 점심, 저녁 세끼에 끼니마다 국, 밥, 반찬 세 종류 총 열다섯 가지를 적는 데드는 시간은 두 시간 남짓이었다.

날마다 반복하기를 여섯 달을 하고 나서 일기를 쓰기 시작했다. 딸도 나도 힘든 시간이었지만, 하루도 빠지지 않고 한 시간도 허투루 쓰지 않고 노력했다. 지금은 그 노력이 헛되지 않았음을 조금씩 실감하는 중이다.

이 식당에 오면 다른 메뉴를 주문해야지 하면서도 매번 마음뿐이다. 집에서 거리가 멀어 가끔 오는 곳이라 먹고 싶은 메뉴를 포기할 수가 없다. 하나를 더 주문하면 양이 많아 남기게 된다. 그러다 보니 올 때마다 메뉴가 정해져 있다. 간혹 큰 딸이 동행이라도 하면 이때다 싶어 우리 셋은 눈치껏 그동안 먹어보고 싶었던 메뉴를 추가하곤 한다. 맛있다는데, 한번 먹어보자면서 말이다.

금방 구워 나온 피자를 크게 한입 가득 씹으면 맛이 주는 행복이 밀려온다. 역시 먹는 즐거움이 최고지!
만족스러운 얼굴로 배부르다며 딸도 콧노래를 흥얼거린다.

## 할머니와 도서관

5일 간격으로 두 어머니를 보내드렸는데 어느새 49일
이 지났다.

엄마는 자식들 일이라면 못 할 것이 없으셨고 자식들을
위해 평생을 애쓰고 고생하며 살아오시다가 당신 몸에
암이 생긴 줄도 모르셨다. 결국 난소암으로 돌아가실
때조차 고통으로 힘드셨다. 그래서 자식들은 더욱 속이
상하고 안타깝다.

엄마가 곁에 없다는 사실이 아직도 실감 나지 않는데
우리는 허전함을 안고 살아가야겠지! 우리 형제는 어머
니께 마지막 재를 드렸다.

나와 딸은 며칠 후 시어머니의 49재가 남아 있어 제주
에 돌아가지 않고 큰딸 집으로 갔다. 다음날 큰딸은 출
근하고 나와 작은딸은 근처 도서관으로 갔다.

"와! 도서관 좋다! 의자도 좋고, 넓고 좋다."

들어서자마자 좋다고 연발하는 나에게 작은딸이 조용히

하라고 눈치를 준다.

"DVD도 볼 수 있나 봐! 정말 좋다!"

"엄마, 조용히 하라고!"

딸이 눈을 흘긴다.

"알았어!"

이것저것 책도 골라보고 DVD방에도 가서 영화도 둘러보고 푹신한 소파에 앉아 보기도 했다. 어릴 적 도서관은 흥미를 느끼기보다는 절대 떠들면 안 되고 책만 읽어야 하는 엄숙한 곳이었는데, 이곳은 별스러운 재미가 있어 좋았다.

딸은 한국사 공부를 한다고 자리를 잡았고 난 취미 관련 책들을 찾아 햇볕 좋은 창가 자리에 앉았다.

문득, 너는 속도 좋다.

엄마에 대한 슬픔은 그새 어디로 보내고 시설 좋은 도서관에 정신이 홀딱 빠져버리다니, 이렇게 산 사람은 살길 찾는구나! 생각해 보니 내가 한심했다.

며칠 후 시어머니께도 마지막 재를 드리려고 천장사에 갔다. 어머니는 뇌출혈로 응급수술 후 의식을 찾지 못하셨고 자식들이 임종도 지키지 못했다. 얼마나 서운하실까? 그 맘을 어떻게 다 헤아릴 수 있을까?

일주일 만에 제주 집으로 돌아왔다. 돌아오는 내내 두

어머니의 사랑이 딸아이와 내 마음에 스며들어 슬픔이
되었다. 딸아! 두 할머니는 우리가 매일 슬퍼하는 것보
다 힘내서 잘 지내길 바라실 거야.
지금도 하늘에서 우리를 지켜보고 계시지 않을까?

# 우리 동네 카페 3

우리 동네에 딸과 시간 날 때마다 편하게 가는 아지트 같은 카페가 있어 좋다.

지금은 걷기 운동보다는 좀 더 힘이 드는 운동이 필요한 시기라 오르막이 있는 동네 산책을 하거나, 공원 산책을 하고 카페에 가는 경우가 많아졌다. 운동 후 아지트에서 따뜻한 차와 함께 각자 하고 싶은 것을 하면서 오후를 보낸다.

투썸 플레이스 OO점
딸은 애플 레몬티, 나는 디카페인 아메리카노를 주문했다. 늘 그렇듯 화장실 앞 끝자리에 앉아 딸은 애정하는 드라마를 보고 나는 그림을 그리면서 가끔 집에서 들고 온 약과를 눈치껏 먹기도 한다.

이 평온함이 오늘의 감사함이다.

## 야~~떠나자, 햄버거를 찾아서

사고 후 딸과 병원 생활을 1년 정도 했다. 그때는 코로나19도 심해서 면회도 쉽지 않았다. 병원 내에서 생활하다 보니 같은 층에 있는 사람들과 친해질 수밖에 없었다. 과일도 나누어 먹고 찌개도 끓이면 나누어 주고 한 가족처럼 지냈다. 그러다가 하나둘씩 좋아지면 퇴원을 하면서 헤어지게 된다.

딸은 입원하는 동안 또래의 오빠를 알게 되었다. 친오빠처럼 많이 의지했고 좋아했다. 그 오빠와는 몇 달 상간으로 우리가 먼저 퇴원하게 되면서 헤어졌다.
퇴원 후에도 날마다 카톡을 주고받고, 통화도 하면서 지내다가 가족과 함께 제주에 여행 왔을 때 다시 만나기도 했었다.
　"오늘은 오빠랑 카톡 했어?"
　"응, 요즘 오빠가 햄버거 먹으라고 계속 말해"
　"햄버거? 무슨 햄버거?"

"저번 여행 왔을 때 먹었던 수제 버거가 맛있다고 먹어보라고 해서 알았다고 했더니 매일 먹었냐고 물어봐"

"그래? 맛있나 보네. 우리도 한 번 먹자."

"엄마는 또 똑같네, 저번에도 그랬잖아!"

"언제? 생각 안 나 화내지 말고, 오늘 가 볼까? 아빠한테 물어봐"

"알았어, 아빠! 아빠!"

딸은 남편에게 달려갔고 저녁에 햄버거를 먹자고 말하고 있었다.

드디어 오빠가 추천한 수제 버거를 먹어보겠구나! 벼르고 별러 햄버거를 먹으러 갔고 실내는 이 집만의 특색이 느껴지는 인테리어가 멋스러웠다.

기대가 컸던 만큼 욕심을 내 모든 메뉴를 주문해서 맛을 봤다. 그날 배가 빵빵해져서 돌아왔다.

맛은 어땠냐고요?

궁금하면 꼭 한번 가 보세요. 색다른 맛의 묘미가 있어요.

◆ 시샘 달 (14월)

## 나의 봄


봄은 바람으로 꽃으로 오는 설렘이다.

나는 봄을 기다린다.

뜻하지 않게 딸이 내 곁으로 왔다.

아픈 마음을 감추고 나를 위로한다.

괜찮아 엄마!

그렇게 딸은 나의 봄이 되었다.

딸의 마음에서 봄이 쏟아진다.

내 마음도 온 세상도

푸르게 푸르게 봄으로 물들었다.

## 시험공부 2

해가 바뀌어도 딸의 한국사 도전은 계속된다. 하루 일과 중 책상 앞에 앉아 있는 시간이 조금씩 길어지면서 집중력도 좋아지는 것 같다.

큰딸이 시험이 근대사에서 많이 나온다고 근대사, 조선, 고려, 삼국 순서로 공부하라는 팁을 주었다. 처음 도전은 한 번 훑어볼 시간적 여유가 적었고, 이번엔 한 달 정도 시간을 두고 시작했다.

공부에도 세대 차이가 있다.

큰딸이 초등학교 때 수학 문제를 가르쳐 줬더니 다음날 선생님이 요즘은 어머니 때처럼 수학 문제를 풀지 않는다고 하시면서 오히려 헷갈릴 수 있으니, 학교에서 지도 하겠다고 했던 적이 있었다.

지금 시험 준비를 하는 딸에게 어떻게, 얼만큼 했는지 확인하지 않는 이유도 딸의 방식으로 찾아가길 바라서이다.

상황에 따라 다르겠지만 모든 일에 내가 관여할 수는 없는 일이다. 스스로 해결하려고 하다 보면 늦더라도 자기만의 방법을 찾아가겠지.

한 만큼 돌아오는 것이 세상의 진리지만 지금은 엉켜있는 실타래부터 푸는 것이 먼저인 것 같다. 엉킨 실을 풀다 보면 어디에 두어야 다시 엉키지 않는지 나름 순리도 터득하게 될 테니까
조급해 하지 말고 엄마가 항상 옆에서 응원하고 있으니 천천히 다시 해보자. 딸!

## 올레길 16코스

올레길을 걷기에는 다소 쌀쌀한 계절이다. 옷을 단단히 챙겨
입고 장갑과 모자를 들고 집을 나섰다. 아침은 간단히 김밥
으로 해결했고 대신 점심은 걷고 나서 먹으려고 맛집을 검
색해 놨다.
걷기 전에 몸을 풀고 핸드폰 앱에서 '하이킹'을 킨다. 시작점
간세에서 올레 수첩을 꺼내 스탬프를 찍고 인증사진까지 찍
으면 준비 끝 출발이다.

올레길 16코스는 어떤 즐거움을 만날지 설렌다.
연기나 횃불을 이용한 옛 군사적 통신시설 남두연대, 바람이
부는 방향으로 쏠려 자란 팽나무, 해안절벽 따라 이어진 소
나무 숲길, 벌집 같은 신엄리의 돌염전, 제주도에만 있다는
옛 등대 도대불, 고등어인가? 입을 쩍 벌린 물고기 조형물,
각양각색의 항아리와 그릇들을 모아둔 만물상 등.

앞서거니 뒤서거니 걸으며 시작점인 고내포구에서 구엄마을을 지나 수산봉 앞까지 5km, 이야기하며 걷다 쉬다 보니 오늘의 목적에 도달했다. 추워도 함께 걸으니 좋지!

딸, 다음 주는 수산봉 앞에서 시작하자.

◆ 물오름 달 (15월)

# 딸은 강태공

사고 이후 변한 것 중의 하나가 게임이다.

아이들과 어렸을 때 놀아주듯이 시간이 날 때면 딸과 자주 게임을 한다. 보드게임, 오목, 다빈치 코드, 루미큐브, 체스, 원 카드 등등

그 게임 중에 내가 못 하는 것이 체스다. 체스를 배우면 되겠지만 둘이 하는 게임이라 굳이 나까지 머리 쓰며 배우고 싶지 않았다. 다빈치 코드나, 루미큐브, 원 카드는 여럿이 하는 게임이라 어쩔 수 없이 배우게 되었다. 배운 지 얼마 되지 않아서 서툴다 보니 각종 핀잔은 덤이다.

남편과 체스를 두는 딸을 며칠 지켜봤다. 아직 남편에게 계속 지고 있는 게임이다. 딸도 바둑과 장기를 두어서 웬만큼 하는 것 같은데 번번이 체스는 진다.

　"아직 멀었네, 아빠는 못 이긴다니깐?"

"아니야, 이길 수 있어! 한 판만 더해!"

"싫은데"

"아빠! 한 판만 더해 응."

딸의 애원에도 남편은 계속 약만 올린다.

"한 판 더해줘, 약 그만 올리고"

보다 못해 내가 나섰다.

"당신은 빠져요. 딸과 아빠의 게임이야! 딸 한 판 더 해주면 뭐 해줄 건데?"

"그냥 해줘!"

"싫은 데 그러면 뽀뽀해 줘. 해주면 하지."

"알았어, 알았다고"

하면서 딸이 눈을 흘기며 하는 둥 마는 둥 남편의 볼에 뽀뽀를 하면, 다시 하라고 떼를 쓰듯 하는 남편과 대충이 상황을 모면해 보려고 하는 딸이 실랑이를 벌인다. 그러다가 남편이 딸 볼에 뽀뽀하는 것으로 마무리가 되고 둘은 게임을 시작한다.

게임을 하면서 딸은 머리를 쓰는 것인지 세월을 낚는 것인지 모르게 생각에 빠져 체스를 둔다.

"작은딸 어디 갔나? 여보 송이 좀 찾아와"

"응, 알았어. 두고 있잖아! 아빠"

성질에 성질을 내면서 체스를 이기고 싶은 딸은 오늘도 지기만 해서 심통이 났다.

딸, 지금까지 해왔던 것처럼 반복하며 꾸준히 하다 보면 언젠가는 아빠를 이기는 날이 오겠지. 세상을 살아가는 것도 똑같단다. 우리 딸 힘들더라도 잘해보자. 지금까지 해왔던 것처럼 지치지 말고 포기하지 말고 심통 부리지 말고.

## 봄날의 외식

제주의 봄은 바람이 거세다. 거센 바람을 맞으며 연예인이 하는 카페로 장소를 정하면서 운 좋으면 얼굴이라도 볼 수 있을까? 하는 기대로 출발했다.
카페가 동쪽에 있어 바람이 더 강하게 분다. 차를 주차하고 카페 안으로 들어가는 거리가 얼마 되지 않는데도 날아가 버릴 것만 같다.

카페 안에서 바라본 창밖 풍경은 머리를 마구잡이로 헤집고 간 바람은 오간 데 없고 파란 하늘에 뭉게뭉게 떠가는 양떼구름과 따뜻한 볕이 내리쬐는 봄으로 둔갑해 있었다. 헝클어진 머리가 무안할 지경으로 안은 아늑했다.

딸이 고개를 두리번거리고 찾아도 연예인은 보이지 않았다. 찾던 일을 멈추고 직원에게 물어보는 듯하더니, 바로 내게 와서 연예인이 당분간 바빠서 서울에 있다고 하면서 많이 아쉬워했다.

다음에 따뜻해지면 또 와보자고 그때는 있을 거라고 나도 알 수 없는 희망을 주고 배가 고프다는 핑계로 주문을 서둘렀다.

기대했던 것보다 주문한 음식이 맛있었다. 사람들이 많이 찾아오는 데는 이유가 있나 보다. 유명세로만 뭔가를 하는 시대는 지났다.

넓은 창으로 보이는 풍경이 좋았고 이층이라 느긋하게 있어도 눈치 볼 필요가 없어서 더 좋았다. 딱 하나 아쉬운 것이 있다면 너무 바빠서인지 사람들이 몰려서인지 오래 걸리기도 했지만, 주문한 커피나 음료를 종이컵에 주어서 맛도, 보기에도 아쉬웠다.

"다음에 다시 방문했을 때는 연예인 얼굴도 보고 맛있는 커피도 예쁜 잔에 먹었으면 좋겠다."
라는 내 말에 딸이
"바람도 안 불었으면 좋겠다. 엄마"
하고는 웃는다.

2024년3 데이집.

## 스노우볼 속 세상

평범하지 않다는 것은 특별하다는 것이다.
모두가 특별해지려고 애쓰고 노력한다.
딸은 평범하지 않아졌다.
다시 말해 우리 딸은 특별해졌다.
생각을 바꾸면 모든 것이 변한다.

딸을 조금더 보듬어 주고, 거친 세상을 조금더 막아 주고, 힘든 일은 조금더 덜어주고, 하고 싶다는 것은 맘껏 해주려 는 엄마의 마음이 다를 뿐이다.

2024.03 테비진

딸이랑 엄마랑     167

## 곰 발바닥 1


쿵 쿵 쿵쾅쿵쾅!

성큼성큼 한발 한발 다가와선

곰 발바닥 곰 발바닥

선물 보따리를 풀어놓고

곰 발바닥 곰 발바닥

넌 어디에서 왔니?

시고 달고 짜네!

넌 누구니?

난 토마토야

곰 발바닥 곰 발바닥

202403 레이링

◆ 잎새 달 (16월)

## 대구 달성공원에 가다

제주에 살면서 육지 나가는 일이 좀처럼 쉽지 않은데 남편의 출장길에 동행하며, 나와 딸은 뜻 하지 않은 여행을 하게 되었다. 출장지 아니 여행지는 대구와 경주다. 남편의 출장지는 중요하지 않다.

육지에 살면서도 집과의 거리가 만만하지 않아 선뜻 가보기 어려웠던 곳인데, 제주에서 가 볼 수 있다니 뜻밖의 횡재다. 며칠 전부터 일정을 짜고 딸아이 친구를 통해 가 볼 만한 곳과 먹거리를 알아봤다.

드디어 여행 첫날 설레는 마음으로 대구공항으로 출발했다. 공항에서 렌터카를 찾고 딸과 달성공원에 갔다. 대구 시내에 있어서 가까웠지만, 대신 주차를 하느라 두 바퀴나 돌고 나서도 결국 유료 주차를 하고 공원에 들어갔다.

벚꽃이 떨어지고 있었고, 날씨는 제주보다 더웠다.

시내 중심부에 동물원과 공원이 함께 있어서 누구나 쉽게 와서 쉬며 산책하고 동물도 가까이서 바로 볼 수 있었다. 주변을 돌아보니 웬만한 동물원에 가도 보기 어려운 코끼리와 얼룩말도 있었다.

"딸 얼룩말도 있네, 와 여기 좋다."

"어디 어디? 그러네, 신기하다 엄마"

우린 여기저기 둘러보면서 신기한 동물들을 볼 때마다 서로를 부르며 보물을 찾은 것처럼 열을 올렸다.

"여기는 늑대, 여우, 너구리 이런 동물이 있는 곳인가 봐. 빨리 와 딸!"

"응, 그런데 여기 동물들 좀 불쌍하다! 그렇지 엄마?"

"왜? 난 좋은데, 제주엔 동물원이 없잖아. 우리가 여기 살면 매일매일 오고 좋겠다."

"집이 너무 좁아 갇혀 있잖아. 불쌍해!"

딸의 말을 듣고 보니 집이 좁아 보이긴 했다. 털에 윤기도 없고 생기도 없어 보였다. 한 늑대는 2미터도 안 되는 공간을 왔다 갔다 원을 그리며 돌고 있었다. 누가 봐도 불안해 보였다.

"네 말을 들으니 그렇네. 좀 불쌍하긴 하다!"

"그래 엄마".


딸과 생활하면서 일요일 아침은 동물농장 프로그램을 꼭 시청하게 되었다. 간단하게 사과와 구운 달걀을 먹으면서 주말의 아침을 보낸다.

그러다 보니 예쁜 동물들도 보지만 학대를 받거나 버려진 동물들에 대해서 많이 접하게 되었다. 딸은 여기 동물들을 보면서 동물농장 프로그램에서 보아왔던 환경이 좋지 못한 동물들처럼 좁은 우리에 갇혀 있는 것이 안돼 보였나 보다.

누구나 볼 수 있는 공원도 좋지만, 동물들도 편안하고 좋은 환경에서 지낼 수 있게 배려해 주었으면 더 좋지 않을까? 하는 아쉬움이 남는 공원이었다.

딸은 아이처럼 순수하다. 그 순수한 마음에 동물들을 봐서 좋기만 한 것 보다 안쓰러워하는 마음이 내게도 느껴졌고, 그런 딸과 일상을 보내는 엄마는 그 마음을 담아 오늘처럼 그림일기를 쓴다.

# 경주 황리단길을 걸으며

"경주 오랜만이다, 그렇지?"
"으응 그렇지!"
"어디를 가 볼까?, 인터넷 검색은 해 봤어?"
"아직, 친구에게 물어볼까? 친구가 잠깐 경주에서 회사 다녔거든."

"그래, 누구? 누구야? 잘됐네. 물어봐 맛집도 좀 물어봐고."

"응응, 저녁에 물어볼게."

아는 사람이 있다니 좋은데 하며 딸에게 어디를 가서 뭘 할지 찾아보라고 넘겨 놓고, 큰딸과 통화를 했다. 큰딸 집과는 거리가 멀어서 이번에 나가서는 큰딸을 보지 못할 것 같다. 큰딸도 많이 아쉬워하면서 먹거리를 찾아 카톡으로 보내줬다.

드디어 경주에 도착했다. 어릴 적 미끄럼 타던 동산 같은 커다란 능들이 우리를 반겨줬다. 이번 여행은 내가 더 설렌다.

딸과 둘이 황리단길을 걸으며 큰딸이 보내준 링크를 확인해서 황남 십원빵, 황남 옥수수, 황남 쫀드기 등등 입에 물고 거리를 구경했다. 배도 부르고 바람도 살랑살랑 여고 시절 친구들과 수학여행 왔을 때로 돌아간 것 같다.

대릉원의 천마총, 첨성대, 국립박물관, 에밀레종, 보문단지, 떡갈비, 석굴암, 불국사, 황남빵, 동궁과 월지의 야경 등 경주에서 딸과의 추억을 한가득 담고 왔다.

## 올레길 15-A 코스

딸과 운동 삼아 걷기 시작한 올레길, 지난번에 욕심을 내어 10km를 걸었더니 엉치뼈가 아프다고 한다. 무리가 될 것 같아 5km 정도씩 나누어 걷기로 했는데, 올레길 15-A 코스를 완주하려면 3~4회는 걸어야 한다.

이번 주는 국가시험 준비한다고 우리 부부만 갔다 오라고 한다. 공부도 좋지만, 운동도 해야 한다고 여러 번 강조하며 설득하려고 애를 썼다.
 "운동도 해야 하니 올레길 걷고 와서 공부하자 딸"
 "싫어요! 나 빼고 둘이 가세요. 어머니!"
딸은 마음에 안들면 존댓말을 쓴다.
 "잠깐 걷고 밥 먹고 오자."
 "나 혼자 집에서 점심 먹을게요".
 "맛있는 것 사 줄게 갔다 오자 응. 뭐 먹고 싶어?"
사정을 해도 소용이 없다. 옆에서 보고 있던 남편이
 "얼마면 될까?"

2024.04 데이지

라고 물었다. 뜬금없이 무슨 소리인가 했더니 딸이 선뜻

"10만 원 주면 생각해 볼게!"

한다. 내가 말도 안 되는 소리라고 하자 남편과 딸은 어느 사이 협상에 들어갔다.

"너무 비싸다! 만원만 하자".

"만원? 안돼! 그럼, 오만 원 어때?"

"오만 원? 비싼데! 음, 현금 삼만 원 여기 있어. 어때?"

남편이 주머니에서 현금을 꺼내 보인다.

"오케이!"

그렇게 삼만 원으로 협상이 타결되었다.


시작이야 어쨌든 딸은 서둘러 준비를 하면서 점심은 자기가 먹고 싶은 메뉴로 먹겠다는 추가 주문까지 한다. 남편과의 협상 덕분에 딸과 자연을 벗 삼아 걸으며 이야기하고 계절의 변화를 느끼게 해주는 시간을 가졌다. 물론 맛있는 점심도 딸이 고른 메뉴로 먹었다.

"고생했어, 딸!"

오늘따라 올레길을 걷는 딸의 발걸음이 어느 때보다 가볍게 보이는 건 내 착각일까?

◆ 푸른 달 (17월)

## 개구리 친구들


일 년 만에 딸 친구들이 집에 다시 놀러 오기로 했다.
이제는 직장인들이라 휴일에 맞춰서 오느라 항공권도
비싸고, 시간 맞추기가 어려울 텐데 고마웠다.
특별히 할 일은 없었지만 그래도 집안 치우고 아침 먹
거리 시장보고 렌터카 대신 내 차를 빌려주기로 해서
자동차도 청소하고 소소하게 일들이 많았다.

하루하루 손꼽아 기다리며 친구들과 어디를 갈지, 무엇
을 먹을지 매일 밤 통화를 하고 어떤 옷을 입을지 고르
는 딸이 예쁘다. 작년과 다르게 말도 많이 늘었다.
친구들과 통화하며 저도 모르게 예전에 쓰던 말들이 툭
툭 튀어나온다. 그럴 때면 옆에 있는 남편을 툭 치며
말한다.
　"아주 많이 좋아졌지!"
　"아, 좋아졌지. 그럼! 얼마나 열심히 했는데, 예뻐 죽
겠어! 우리 딸"

우리 부부는 당신도 고행 많았어! 라는 말은 입 밖으로 내지는 않았지만, 말없이 서로의 어깨를 토닥였다.

드디어 손님들이 왔다. 오는 날부터 가방만 집에 던져 두고 승마도 타고, 저녁도 먹고, 카페도 가고, 인생네컷도 찍고 열 시가 되어 들어왔다.

딸들 손엔 같이 찍은 스티커 사진과 가방엔 못 보던 개구리 인형들이 달려 있었다. 개구리 인형으로 우정을 다짐한 걸까? 친구들 덕분에 딸의 얼굴이 활기차다.

둘째 날도 셋째 날도 아침에 나가면 저녁 늦게나 얼굴을 볼 수 있었지만, 집으로 들어오는 딸과 친구들은 조잘조잘 깔깔 웃음이 가득하다.

짧은 일정을 함께하고 돌아갈 시간이 되었다. 친구들을 배웅하기 위해 공항에 갔다. 내년에도 꼭 오라는 당부와 함께 아쉬운 마음에 한 사람씩 안아주었다. 딸의 일상을 응원해 주기 위해 와준 친구들이 고마웠다.

딸, 친구가 너무 좋지?

감사함은 타인으로부터 비롯되고, 행복함은 나에게서 찾은 날이었다.

## 아이스크림 숲

사월이 지나고 어느덧 오월이 되면 여린 잎들은 바람과 햇볕을 맞으며 더 푸르고 단단하게 성큼 자란다. 문밖을 나서면 온통 푸르르다. 푹신하고 따스한 이불처럼 초록 물결이 펼쳐져 있다.

나무 하나하나가 숲을 이루고 그 숲이 산이 된다. 나무가 산이 되는 동안 딸도 자기만의 나무를 심고 가꾸어 울창한 숲을 이루고 숲이 산이 되는 인생을 꿈꾸길 바란다.

딸아, 마음이 간질간질하고 기분이 참 좋아지지!

딸아, 뭐든지 이뤄질 것 같고 뭘 해도 될 것 같지 않아?

"금 나와라 와라 뚜욱딱!!"

"은 나와라 와라 뚜욱딱!!"

도깨비가 방망이 대신 붓으로 요술을 마구마구 부리는 중인가 보다.

## 부처님 오신 날

매일 출근하는 직장인도 아닌데, 달력에 공휴일이 있으면 그저 좋다. 올해는 스승의날과 부처님 오신 날이 같은 날이다.

아침부터 법회에 가려고 준비했다. 날씨도 맑고 화창하다. 서둘러 갔는데도 사람들이 많아서 주차하기도 쉽지 않고, 주변엔 아이들이 좋아하는 솜사탕 같은 먹거리와 장난감 놀이 좌판이 비좁은 자리를 더 비좁게 하고 있었다.

법회는 일찍 끝났고 관음식이 남아 있었다. 연등 만들기, 목판 찍기, 팔찌 만들기 등 체험 부스도 마련돼 있었다.
파란 하늘엔 노랗고 파랗고 빨간 색색 연등들이 줄에 매달려 잔잔한 물결처럼 흔들거리며 사람들의 염원으로 가득 채우고 있었다.

관음식을 끝내고 우리는 공양하려고 줄을 섰다. 사찰에서 먹는 점심은 맛있다. 특별한 것도 없는데 한 그릇 뚝딱이다. 사람들에게 한 봉지씩 나누어주는 떡도 맛있다.

어릴 적 엄마를 따라 절에서 먹었던 떡 맛이 생각난다. 스님에게 수줍어서 말은 못 하고 엄마 치맛자락을 붙들고 떡 먹고 싶다고 하면, 어느샌가 스님이 내 손에 떡을 한 움큼 쥐어 주시곤 하셨다. 그 맛에 엄마를 따라 절에 가는 걸 좋아했던 것 같다.

맛있는 공양 후 조그만 연등을 만들며 딸에게도 이런 소소한 일상이 추억이 될 수 있었으면 좋겠다는 생각이 들었다.

하늘 위로 쏟아지듯 날아오르는 비눗방울처럼 머리 위로 너울대는 연등이 바람을 타고 훨훨 날아올라 부처님께 닿아 우리들의 소원이 이뤄지길 빌었다.
오늘은 누구든지 소원을 비는 날이니까 다 들어주시지 않을까?

딸의 소원도
딸을 향한 간절한 우리 부부의 소원도 함께 말이다.

◆ 누리달(18월)

## 곰 발바닥 2


커다란 발로 쿵! 쿵! 쿵쾅!
곰 발바닥 곰 발바닥
한 아름 안고 온 선물 상자
상자 안에는 무엇이 들어있을까?
열어보지 않아도
물어보지 않아도 보이네.
넌 멜론이구나!
아~ 달콤해!

## 유월의 수국 2

커다란 수국 한 송이
손에 들고 쳐다보는 딸의 얼굴에
함박 웃음꽃이 활짝 피었네요.
보는 이도 덩달아 미소 짓게 하지요.

따라쟁이 토실이도 수국 한 송이
손에 들고 옆 눈길로 쳐다보느라
고개를 들랑날랑
보는 이의 혼을 쏙 빼놓네요.

수국을 든 딸도 따라쟁이 토실이도
유월의 수국보다 귀하고 예쁘답니다.

2024.06 데이지。

# 모래시계

딸은 그날 이후 변화하고 있다.

다시 태어나 걷고 뛰고 말하고 배우며 자신을 찾아가고 있다. 이십삼 년의 시간을 빠르게 되찾아 가는 중이다. 지나간 시간을 되돌릴 수는 없지만 흐르는 시간을 늦출 수는 있다. 시간을 추가하면 된다.

자기만의 방식으로….

딸은 지금 인생의 시간을 늦추려 하루하루를 살아내고 있다. 인생 모래시계의 시간을 추가하느라 오늘도 책상 앞에 앉아 열심인 딸의 뒷모습에 응원을 보낸다.

새로운 도전에 고맙고 결실을 이루기 위한 노력에 기쁘고 감사하다.

힘들고 지치면 엄마랑 놀러 갈까? 좀 늦으면 어때?

딸아, 지치고 힘겨우면 땡땡이도 치고, 너도 많이 해봤잖아!

2024.07 데이지。

여름이 오다.


더위가 시작되기 전에 휴가를 보내려 친구 가족들이 제주에 왔다. 비행기를 타고 올 줄 알았는데, 새벽에 출발해 완도에서 배를 타고 왔단다. 연휴 기간이라 차량 렌트를 하기가 어려워서 그런 줄 알았는데 여름이 때문에 일부러 배를 타고 차를 가지고 왔다고 한다.

"여름이가 누군데?"

딸이 옆에서 묻는다.

"이모가 키우는 강아지야."

"어떤 강아지야?"

"종이 뭐냐고?, 글쎄".

친구가 옆에서 딸이 묻는 말을 듣고는 순종이 아니고 혼합종이라고 대답을 해줬다.

"지금 어디 있어요?"

"호텔 방에서 혼자 있어, 이 카페에는 데리고 올 수가 없거든." 하는 친구의 말에 나도 딸도 놀랐다.

TV 동물농장에서 보면, 강아지들이 낯선 곳에서는 불안해하는데 여름이는 처음 가는 호텔에서 혼자 짖지도 않고 얌전히 기다린다는 것이 믿을 수가 없었다.

대단하다고 연신 말하고 있는 사이 친구 남편이 어느샌가 여름이를 데리고 나왔다. 예뻐서 만져 보고 안아보고 싶었는데, 나름 볼 일이 급하다고 산책을 데리고 나갔다. 그동안 호텔에서 용변을 참다가 나와서 급했다고 한다. 여름이도 사람과 다를 바가 없구나! 또 한 번 놀랄 일이다.

우스갯소리로 친구에게 여름이 학대한 것 아니냐, 집에서는 대소변도 못 보게 한 것 아니냐, 밥을 너무 조금 줘서 그런 거 아니냐며, 여름이에게 확인해 봐야 한다고 했더니, 옆에서 딸이 엄마는 괜히 그런다고 야단이다.

볼일을 보고 온 여름이와 시간을 보내고 싶은 딸의 마음도 모르고 여름이는 낯선 사람과 장소가 불편한지 눈길을 피했다. 아쉬움을 남기고 여름이는 다시 자기 애착 이불이 있는 호텔로 갔다.

친구네 가족과 우리는 피자를 먹고 야시장을 구경하며 사진

도 찍고 즐겁게 시간을 보냈다. 오랜만에 가져 보는 내 친
구와의 시간이었다.

여름아, 고마워. 덕분에 친구랑 좋은 시간 보냈어!

## 출판기념회

처음 시작은 소소했다. 치료가 비어 있는 시간에 딸과 뭐라도 좀 배워볼까? 하는 마음으로 등록하게 되었고 딸도 별말 없이 순순히 따라와 주었다.

첫 수업, 작가님의 질문에 딸이 긴장을 좀 하는 것 같아서 속으로 큰일났다 첫 수업이 마지막 수업이 되겠구나! 했는데, 이번에도 별말 없이 잘 지나갔다. 그렇게 수업을 받으며 글도 써보지 않던 나와 딸은 매시간 충실했고, 함께 공저로 책을 내게 되었다.

수업을 통해 우리들은 함께 글을 쓰고 읽고 공감했다. 서로를 알고 이해하는 시간이 되었고, 위로가 필요할 때 안아주며 괜찮다고 다독였던 우리의 마음을 담아 책을 출판하게 되었다.

다 함께 준비한 음식과 꽃으로 나를, 너를, 우리 모두를 위해 축하하는 출판기념회를 가졌다.

"첫 출판 축하해. 딸!"

"첫 출판 축하해. 엄마!"

"첫 출판 축하해요. 우리 모두!"

"감사해요. 작가님!"

누구에게는 별것도 아닌 일일 수 있지만 우리에겐 한 발 내디딜 수 있었던 용기가 되었다.

잘 쓰든 못쓰든 글을 쓰는 시작이 되었고, 앞으로는 딸과의 일상을 보내면서 힘들고 지쳤던 이야기를 쓰고 그리면서 서로가 위안이 되는 시간을 가져 보려 한다.

소소함이 새로운 변화의 시작이 되었다.